4-91

Corneille and Racine
PARALLELS AND CONTRASTS

PRENTICE-HALL CONFRONTATIONS SERIES
Robert J. Nelson, General Editor
University of Pennsylvania

*The aim of this series
is to present, in a coherent perspective,
significant and divergent critical evaluations
of major literary topics, especially those
evaluations from earlier periods which
can enrich our present understanding
of these topics.*

PRENTICE-HALL INTERNATIONAL, INC., *London*
PRENTICE-HALL OF AUSTRALIA, PTY. LTD., *Sydney*
PRENTICE-HALL OF CANADA, LTD., *Toronto*
PRENTICE-HALL OF INDIA (PRIVATE), LTD., *New Delhi*
PRENTICE-HALL OF JAPAN, INC., *Tokyo*

Edited with an Introduction by

Robert J. Nelson

University of Pennsylvania

CORNEILLE AND RACINE:
PARALLELS AND CONTRASTS

PRENTICE-HALL, INC.   Englewood Cliffs, New Jersey

Library of Congress Catalog Card No.: 66–10386

Current printing (last digit)

10   9   8   7   6   5   4   3   2   1

Printed in the United States of America

C-17273

INTRODUCTION

THE MOST PERSISTENT THEME of practical literary criticism of modern French literature is the *parallèle* of Corneille and Racine. The confrontation of the two dramatists is commonly thought to begin with its most famous expression, La Bruyère's comparison in *Les Caractères* (1688). However, the confrontation begins earlier, almost with Racine's very arrival "on the stage." His second play, *Alexandre le Grand* (1665) not only provoked the first significant formal comparison of the two dramatists, Saint-Evremond's *Dissertation sur . . . Alexandre le Grand*, but, according to one contemporary report, was the occasion of a direct personal confrontation between the two dramatists. The older man, stressing the younger's talent for poetry, found the young hopeful wanting in dramatic gifts and encouraged him to try his talent in another genre.[1] And it is certain that Corneille and Racine confront one another directly, if impersonally, in their separate plays (1670) on the loves of Titus and Berenice (Corneille, *Tite et Bérénice*; Racine, *Bérénice*).

---

[1] See "Notice sur *Alexandre le Grand*" in *Œuvres de J. Racine*, Paul Mesnard, ed. (Paris: Librairie Hachette, 1865–1873), Vol. II, p. 499.

In considering this dramatic confrontation, one might see the first example of the parallel, with its overtones of *comparative* resemblances, become a stark contrast. Thus the Racinian conception of tragedy and of the human condition might be sharply distinguished from the Cornelian conception in the very *données* of these separate plays: pairs of lovers, initially ill-matched but ultimately well-matched in Corneille; a triad of lovers, with one inevitably rebuffed in Racine, deprived of *any* satisfactions. But this is to state the distinctions perhaps too sharply, for, as many an observer has noted, there is a curious Racinian cast to the characters of *Tite et Bérénice* and of other late plays of Corneille (notably the last, *Suréna* [1674]), even as there is a curious Cornelian ring to many of the early works of Racine (notably, *Alexandre*).

The movement from parallel to contrast (with the tendency to take sides being a frequent concomitant) and the countermovement from contrast to parallel characterize the long history of the Corneille-Racine confrontation. Indeed, La Bruyère's purely descriptive parallel has perhaps been unfairly read as Racinian in bias, although it must be said that in the context of the disenchanted *Caractères* there is perhaps some justification for this reading. Nevertheless, such an interpretation is far from the exclusive one among the earliest critical confrontations, as the selections below from Saint-Evremond, Fontenelle, and Tafignon show. However, in spite of Corneille's continuing success with the public in the eighteenth century, the significant men of letters who draw their own confrontations of the dramatists do so not in the spirit of parallels, but in a clear spirit of contrast—and with a decided Racinian bias. Thus throughout his numerous critical writings and especially in his lengthy *Commentaires sur Corneille*, Voltaire reflects the neoclassical bias of the great men of the period in favor of Racine, a bias limned in the brief selection below from *Le Siècle de Louis XIV* and "fleshed out" in the *Résumé sur Corneille et Racine* of Voltaire's adept in criticism, La Harpe.

With its eulogy of Racine's esthetic purity and perfect taste, contrasted with Corneille's rhetorical and dramatic excesses, the neoclassical bias of Voltaire and La Harpe differs starkly from the romantic strictures of Schlegel on French classical tragedy. But it is to be noted that in his general remarks on the French theatre, Schlegel fixes a tendency already apparent in eighteenth-century criticism: the view of Corneille as a precursor of Racine. This *coupling* of the two dramatists persists into our own day, especially in academic criticism outside of

France. It is almost in vain that certain other romantics and later writers reasserted the contrast of Corneille and Racine, this time with Corneille in the ascendant: for example, the Hugo of the *Préface de Cromwell* who deplored the shackles which the fecund genius of Corneille was compelled to wear by his classicizing critics. Still a more generous response to both Corneille and Racine characterizes the writer whom some consider the "romantic" critic par excellence, Sainte-Beuve. The greatest critic of the nineteenth century sympathetically finds in the presumed excesses of Corneille "une des plus grandes manières du siècle qui eut Molière et Bossuet." Yet in pages that have had a profound influence on later criticism of Racine, such sympathy does not prevent him from celebrating what Voltaire and his adepts considered the contradictory perfection, harmony, and unity of Racine throughout his work, but especially in *Esther* and *Athalie*.

The polemical spirit does persist, of course. In our own day, Cornelians like Roger Caillois, Robert Brasillach, and Jean-Paul Sartre also choose one side, with the other taken by the Racinian Thierry Maulnier, who finds Corneille rather than Racine "français et classique." But the broad sympathy of Sainte-Beuve also persists, as in Banville's evaluation of the two dramatists as religious poets and even more in Péguy's luminescent *Parallèle*. Again, in the scholarly objectivity of May, with its neat designation of techniques in the separate dramaturgies; in the comprehensive review by Nadal of the kinds of passion (note the plural) in the Cornelian canon; and in the sharply contrasted, but nonpolemical descriptions of the Cornelian and Racinian universes by the historian of social mores, Bénichou, and the phenomenologically oriented Starobinski, one senses a modern turning away from the spirit of *contrast* in the neoclassical *and* romantic tradition in favor of the spirit of *parallel* that characterized the criticism of La Bruyère and, to a lesser extent, Longepierre. Thus though they are almost exclusively concerned with and warmly responsive to Corneille, the pages of Rousseaux implicitly retain the twin sympathies of those lines from Péguy's *Parallèle* which they take as text and pretext.

The bases as well as the biases of the confrontation throughout its fascinating history obviously reflect epochal as well as personal moods. The critics have thereby set up confrontations with each other, at times contemporaneously, at times retrospectively. Thus Tafignon and Sartre both reply to La Bruyère; Sainte-Beuve explicitly refutes Voltaire on

Corneille's "excesses"; etc. More abstractly, one outlook replies to another: Brasillach to Maulnier within their own time; Nadal to La Harpe across the centuries; etc. The reader will undoubtedly discover many other such confrontations. Nevertheless, whether from a Racinian or a Cornelian bias, whether from an esthetic, a psychological, or a philosophical base, the confrontation of the two greatest dramatists of French literature has been a tool for probing into the nature of dramatic art, of literary art, and of the human condition. It is to be hoped that these insights will serve to sharpen the reader's own insights when he *re*-confronts the plays of Corneille and Racine.

References to the plays and other works of Corneille are as given in *Œuvres de P. Corneille*, Ch. Marty-Laveaux, ed., 12 vols. (Paris: Librairie Hachette, 1862–1868) and to the plays and other works of Racine as given in *Œuvres de J. Racine*, Paul Mesnard, ed., 8 vols. (Paris: Librairie Hachette, 1865–1873).

I wish to thank the staff of the libraries of the University of Pennsylvania, the University of Chicago, Bryn Mawr College, Haverford College, and Swarthmore College for their valuable assistance in locating and lending rare materials used in the preparation of this volume. And a special word of gratitude to Mrs. Edith Hampel of the Reference Department, the Van Pelt Library, University of Pennsylvania.

R.J.N.

TABLE OF CONTENTS

Charles de Saint-Evremond
    DISSERTATION SUR LA TRAGÉDIE DE RACINE
        INTITULÉE: *Alexandre le Grand*   1

Hilaire Bernard de Longepierre
    PARALLÈLE DE M. CORNEILLE ET DE M. RACINE   9

Jean de La Bruyère
    LES CARACTÈRES DE CORNEILLE ET DE RACINE   21

Bernard Le Bovier de Fontenelle
    PARALLÈLE DE CORNEILLE ET DE RACINE   23

Maître Tafignon
    DISSERTATION SUR LES CARACTÈRES DE
        CORNEILLE ET DE RACINE CONTRE LE
        SENTIMENT DE LA BRUYÈRE   25

François-Marie Arouet de Voltaire
    CORNEILLE ET RACINE, INSTITUTEURS DE
        L'ESPRIT HUMAIN   33

Jean-François de La Harpe
    RÉSUMÉ SUR CORNEILLE ET RACINE   36

August Wilhelm von Schlegel
    CORNEILLE AND RACINE: NATIONAL POETS   45

Charles-Augustin Sainte-Beuve
    PIERRE CORNEILLE   52

Charles-Augustin Sainte-Beuve
    RACINE   67

Théodore de Banville
    CORNEILLE ET RACINE, POÈTES TRAGIQUES   90

Charles Péguy
    NOTRE PARALLÈLE DE CORNEILLE ET DE
        RACINE   97

Thierry Maulnier
    RACINE DISTINGUÉ DE CORNEILLE   103

André Rousseaux
    CORNEILLE, OU LE MENSONGE HÉROÏQUE   106

Roger Caillois
    AMOUR CORNÉLIEN, AMOUR RACINIEN   129

Robert Brasillach
    CORNEILLE, CLASSIQUE ET RÉVOLUTIONNAIRE   132

Jean-Paul Sartre
A REFUTATION OF LA BRUYÈRE 138

Georges May
CORNEILLE ET RACINE: LES VRAIES
DIFFÉRENCES SOUS LES ANALOGIES
TROMPEUSES 139

Octave Nadal
HÉROS CORNÉLIENS, ANTI-HÉROS RACINIENS 150

Paul Bénichou
LA GRANDEUR CHEZ CORNEILLE ET CHEZ
RACINE 158

Jean Starobinski
RACINE ET LA POÉTIQUE DU REGARD 163

CORNEILLE AND RACINE
PARALLELS AND CONTRASTS

Charles de Saint-Evremond

1615-1703

DISSERTATION SUR LA TRAGÉDIE DE RACINE INTITULÉE: *ALEXANDRE LE GRAND*

DEPUIS QUE J'AI LU le Grand Alexandre, la vieillesse de Corneille me donne bien moins d'alarmes, et je n'appréhende plus tant de voir finir avec lui la tragédie. Mais je voudrais qu'avant sa mort il adoptât l'auteur de cette pièce, pour former, avec la tendresse d'un père, son vrai successeur. Je voudrais qu'il lui donnât le bon goût de cette antiquité qu'il possède si avantageusement; qu'il le fît entrer dans le génie de ces nations mortes, et connaître sainement le caractère des héros qui ne sont plus. C'est, à mon avis, la seule chose qui manque à un si bel esprit. Il a des pensées fortes et hardies, des expressions qui égalent la force de ses pensées; mais vous me permettrez de vous dire, après cela, qu'il n'a pas connu Alexandre ni Porus. Il paraît qu'il a voulu donner une plus grande idée de Porus que d'Alexandre, en quoi il n'était pas possible de réussir; car l'histoire d'Alexandre, toute vraie qu'elle est, a bien de l'air d'un roman: et faire un plus grand héros, c'est donner dans le fabuleux;

With revisions of 1668 reflected in the text on which this selection is based. From Œuvres mêlées de Saint-Evremond, Vol. II, Charles Giraud, ed. (Paris: Techner, 1865). First published: 1666.

c'est ôter à son ouvrage, non seulement le crédit de la vérité, mais l'agrément de la vraisemblance. N'imaginons donc rien de plus grand que ce maître de l'univers; ou nos imaginations seront trop vastes et trop élevées. Si nous voulons donner avantage sur lui à d'autres héros, ôtons-leur les vices qu'il avait, et donnons-leur les vertus qu'il n'avait pas: ne faisons pas Scipion plus grand, quoiqu'on n'ait jamais vu chez les Romains une âme si élevée que la sienne; il le faut faire plus juste, allant plus au bien, plus modéré, plus tempérant et plus vertueux.

Que les plus favorables à César contre Alexandre, n'allèguent en sa faveur ni la passion de la gloire, ni la grandeur de l'âme, ni la fermeté du courage. Ces qualités sont si pleines dans le Grec, que ce serait en avoir trop que d'en avoir plus. Mais qu'ils fassent le Romain plus sage en ses entreprises, plus habile dans les affaires, plus étendu dans ses intérêts, plus maître de lui dans ses passions.

Un juge fort délicat du mérite des hommes s'est contenté de faire ressembler à Alexandre celui dont il voulait donner la plus haute idée: il n'osait pas lui attribuer de plus grandes qualités, il lui ôtait les mauvaises: *Magno illi Alexandro, sed sobrio neque iracundo simillimus.*[1]

Peut-être que notre auteur est entré dans ces considérations, en quelque sorte; peut-être que pour faire Porus plus grand, sans donner dans le fabuleux, il a pris le parti d'abaisser son Alexandre. Si ç'a été son dessein, il ne pouvait pas mieux réussir; car il en fait un prince si médiocre, que cent autres le pourraient emporter sur lui, comme Porus. Ce n'est pas qu'Ephestion n'en donne une belle idée; que Taxile, que Porus même ne parlent avantageusement de sa grandeur; mais, quand il paraît lui-même, il n'a pas la force de la soutenir, si ce n'est que, par modestie, il veuille paraître un simple homme chez les Indiens, dans le juste repentir d'avoir voulu passer pour un dieu parmi les Perses. A parler sérieusement, je ne connais ici d'Alexandre que le seul nom: son génie, son humeur, ses qualités, ne me paraissent en aucun endroit. Je cherche, dans un héros impétueux, des mouvements extraordinaires qui me passionnent, et je trouve un prince si peu animé, qu'il me laisse tout le sang-froid où je puis être. Je m'imaginais, en Porus, une grandeur d'âme qui nous fût plus étrangère: le héros des Indes devait avoir un

---

[1] "He resembled Alexander the Great, but only when Alexander was sober and not given to anger." Velleius Paterculus, *Historiæ Romanæ*, Vol. II, Ch. 41. (RJN)

caractère différent de celui des nôtres. Un autre ciel, pour ainsi parler, un autre soleil, une autre terre, y produisent d'autres animaux et d'autres fruits: les hommes y paraissent tout autres par la différence des visages, et plus encore, si je l'ose dire, par une diversité de raison: une morale, une sagesse singulière à la région y semble régler, et conduire d'autres esprits dans un autre monde. Porus, cependant, que Quinte-Curce dépeint tout étranger aux Grecs et aux Perses, est ici purement Français: au lieu de nous transporter aux Indes, on l'amène en France, où il s'accoutume si bien à notre humeur, qu'il semble être né parmi nous, ou du moins y avoir vécu toute sa vie.

Ceux qui veulent représenter quelque héros des vieux siècles doivent entrer dans le génie de la nation dont il a été, dans celui du temps où il a vécu, et particulièrement dans le sien propre. Il faut dépeindre un roi de l'Asie autrement qu'un consul romain: l'un parlera comme un monarque absolu, qui dispose de ses sujets comme de ses esclaves; l'autre comme un magistrat qui anime seulement les lois, et fait respecter leur autorité à un peuple libre. Il faut dépeindre autrement un vieux Romain furieux pour le bien public, et agité d'une liberté farouche, qu'un flatteur du temps de Tibère, qui ne connaissait plus que l'intérêt, qui s'abandonnait à la servitude. Il faut dépeindre différemment des personnes de la même condition et du même temps, quand l'histoire nous en donne de différents caractères. Il serait ridicule de faire le même portrait de Caton et de César, de Catilina et de Cicéron, de Brutus et de Marc-Antoine, sous ombre qu'ils ont vécu, dans la République, en même temps. Le spectateur, qui voit représenter ces anciens sur nos théâtres, suit les mêmes règles pour en bien juger, que le poète pour les bien dépeindre; et pour y réussir mieux, il éloigne son esprit de tout ce qu'il voit en usage, tâche à se défaire du goût de son temps, renonce à son propre naturel, s'il est opposé à celui des personnes qu'on représente: car les morts ne sauraient entrer en ce que nous sommes, mais la raison, qui est de tous les temps, nous peut faire entrer en ce qu'ils ont été.

Un des grands défauts de notre nation, c'est de ramener tout à elle, jusqu'à nommer étrangers, dans leur propre pays, ceux qui n'ont pas bien, ou son air, ou ses manières. De là vient qu'on nous reproche justement de ne savoir estimer les choses que par le rapport qu'elles ont avec nous, dont Corneille a fait une injuste et fâcheuse expérience, dans sa *Sophonisbe*. Mariet, qui avait dépeint la sienne infidèle au vieux

Syphax, et amoureuse du jeune et victorieux Massinisse, plut quasi généralement à tout le monde, pour avoir rencontré le goût des dames et le vrai esprit des gens de la cour. Mais Corneille, qui fait mieux parler les Grecs que les Grecs, les Romains que les Romains, les Carthaginois que les citoyens de Carthage ne parlaient eux-mêmes; Corneille, qui, presque seul, a le bon goût de l'antiquité, a eu le malheur de ne plaire pas à notre siècle, pour être entré dans le génie de ces nations, et avoir conservé à la fille d'Asdrubal son véritable caractère.

Ainsi, à la honte de nos jugements, celui qui a surpassé tous nos auteurs, et qui s'est peut-être ici surpassé lui-même, à rendre à ces grands noms tout ce qui leur était dû, n'a pu nous obliger à lui rendre tout ce que nous lui devions, asservis par la coutume aux choses que nous voyons en usage, et peu disposés par la raison à estimer des qualités et des sentiments qui ne s'accommodent pas aux nôtres.

Concluons, après une considération assez étendue, qu'Alexandre et Porus devaient conserver leur caractère tout entier; que c'était à nous à les regarder sur les bords de l'Hydaspe, tels qu'ils étaient; non pas à eux de venir, sur les bords de la Seine, étudier notre naturel et prendre nos sentiments. Le discours de Porus devait avoir quelque chose de plus étranger et de plus rare. Si Quinte-Curce s'est fait admirer, dans la harangue des Scythes, par des pensées et des expressions naturelles à leur nation, l'auteur se pouvait rendre aussi merveilleux en nous faisant voir, pour ainsi parler, la rareté du génie d'un autre monde.

La condition différente de ces deux rois, où chacun remplit si bien ce qu'il se devait dans la sienne, leur vertu diversement exercée dans la diversité de leur fortune, attirent la considération des historiens, et les obligent à nous en laisser une peinture. Le poète, qui pouvait ajouter à la vérité des choses, ou les parer du moins de tous les ornements de la poésie, au lieu d'en employer les couleurs et les figures à les embellir, a retranché beaucoup de leur beauté; et, soit que le scrupule d'en dire trop ne lui en laisse pas dire assez, soit par sécheresse et stérilité, il demeure beaucoup au-dessous du véritable. Il pouvait entrer dans l'intérieur, et tirer du fond de ces grandes âmes, comme fait Corneille, leurs plus secrets mouvements; mais il regarde à peine les simples dehors, peu curieux à bien remarquer ce qui paraît, moins profond à pénétrer ce qui se cache.

J'aurais souhaité que le fort de la pièce eût été à nous représenter ces grands hommes, et que, dans une scène digne de la magnificence du sujet, on eût fait aller la grandeur de leurs âmes jusqu'où elle pourrait aller. Si la conversation de Sertorius et de Pompée [*Sertorius*, III, 1] a tellement rempli nos esprits, que ne devait-on pas espérer de celle de Porus et d'Alexandre, sur un sujet si peu commun? J'aurais voulu encore que l'auteur nous eût donné une plus grande idée de cette guerre. En effet, ce passage de l'Hydaspe, si étrange qu'il se laisse à peine concevoir: une grande armée de l'autre côté, avec des chariots terribles et des éléphants alors effroyables; des éclairs, des foudres, des tempêtes qui mettaient la confusion partout, quand il fallut passer un fleuve si large sur de simples peaux; cent choses étonnantes qui épouvantèrent les Macédoniens, et qui surent faire dire à Alexandre qu'«enfin il avait trouvé un péril digne de lui»; tout cela devait fort élever l'imagination du poète, et dans la peinture de l'appareil, et dans le récit de la bataille.

Cependant on parle à peine des camps des deux rois, à qui l'on ôte leur propre génie pour les asservir à des princesses purement imaginées. Tout ce que l'intérêt a de plus grand et de plus précieux parmi les hommes, la défense d'un pays, la conservation d'un royaume, n'excite point Porus au combat; il y est animé seulement par les beaux yeux d'Axiane, et l'unique but de sa valeur est de se rendre recommandable auprès d'elle. On dépeint ainsi les chevaliers errants, quand ils entreprennent une aventure; et le plus bel esprit, à mon avis, de toute l'Espagne, ne fait jamais entrer don Quichotte dans le combat, qu'il ne se recommande à Dulcinée.

Un faiseur de romans peut former ses héros à sa fantaisie; il importe peu aussi de donner la véritable idée d'un prince obscur, dont la réputation n'est pas venue jusqu'à nous; mais ces grands personnages de l'antiquité, si célèbres dans leur siècle, et plus connus parmi nous que les vivants même: les Alexandre, les Scipion, les César, ne doivent jamais perdre leur caractère entre nos mains; car le spectateur le moins délicat sent qu'on le blesse, quand on leur donne des défauts qu'ils n'avaient pas, ou qu'on leur ôte des vertus qui avaient fait sur son esprit une impression agréable. Leurs vertus, établies une fois chez nous, intéressent l'amour-propre comme notre vrai mérite: on ne saurait y apporter la moindre altération, sans nous faire sentir ce changement avec violence. Surtout, il ne faut pas les défigurer dans la guerre, pour les rendre plus illustres dans l'amour. Nous pouvons leur donner des maîtresses de notre invention, nous pouvons mêler de la passion avec leur gloire; mais gardons-nous de faire un Antoine d'un Alexandre, et ne ruinons pas le héros établi par tant de siècles, en faveur de l'amant que nous formons à notre fantaisie.

Rejeter l'amour de nos tragédies, comme indigne des héros, c'est ôter ce qui nous fait tenir à eux, par un secret rapport, par je ne sais quelle liaison qui demeure encore entre leurs âmes et les nôtres; mais pour les vouloir ramener à nous par ce sentiment commun, ne les faisons pas descendre au-dessous d'eux, ne ruinons pas ce qu'ils ont au-dessus des hommes. Avec cette retenue, j'avouerai qu'il n'y a point de sujets où une passion générale, que la nature a mêlée en tout, ne puisse entrer sans peine et sans violence. D'ailleurs, comme les femmes sont aussi nécessaires pour la représentation que les hommes, il est à propos de les faire parler, autant qu'on peut, de ce qui leur est le plus naturel, et dont elles parlent mieux que d'aucune chose. Otez aux unes l'expression des sentiments amoureux, et aux autres l'entretien secret où les fait aller la confidence, vous les réduisez ordinairement à des conversations ennuyeuses. Presque tous leurs mouvements, comme leurs discours, doivent être des effets de leur passion; leurs joies, leurs tristesses, leurs craintes, leurs désirs doivent sentir un peu d'amour, pour nous plaire.

Introduisez une mère qui se réjouit du bonheur de son cher fils, ou s'afflige de l'infortune de sa pauvre fille, sa satisfaction ou sa peine fera peu d'impression sur l'âme des spectateurs. Pour être touchés des larmes et des plaintes de ce sexe, voyons une amante qui pleure la mort d'un amant: non pas une femme qui se désole à la perte d'un mari. La douleur des maîtresses, tendre et précieuse, nous touche bien plus que l'affliction d'une veuve artificieuse ou intéressée, et qui, toute sincère qu'elle est quelquefois, nous donne toujours une idée noire des enterrements et de leurs cérémonies lugubres.

De toutes les veuves qui ont jamais paru sur le théâtre, je n'aime à voir que la seule Cornélie [*La Mort de Pompée*], parce qu'au lieu de me faire imaginer des enfants sans père, et une femme sans époux, ses sentiments tout romains rappellent dans mon esprit l'idée de l'ancienne Rome, et du grand Pompée.

Voilà tout ce qu'on peut raisonnablement accorder à l'amour sur nos théâtres; mais qu'on se contente de cet avantage, où la régularité même pourrait être intéressée, et que ses plus grands partisans ne croient pas que le premier but de la tragédie soit d'exciter des tendresses dans nos cœurs. Aux sujets véritablement héroïques, la grandeur d'âme doit être ménagée devant toutes choses. Ce qui serait doux et tendre, dans la maîtresse d'un homme ordinaire, est souvent faible et honteux, dans l'amante d'un héros. Elle peut s'entretenir, quand elle est seule, des combats intérieurs qu'elle sent en elle-même; elle peut soupirer en secret de son tourment, confier à une chère et sûre confidente ses craintes et ses douleurs; mais, soutenue de sa gloire et fortifiée par sa raison, elle doit toujours demeurer maîtresse de ses sentiments passionnés, et animer son amant aux grandes choses, par sa résolution, au lieu de l'en détourner par sa faiblesse.

En effet, c'est un spectacle indigne de voir le courage d'un héros amolli par des soupirs et des larmes; et, s'il méprise fièrement les pleurs d'une belle personne qui l'aime, il fait moins paraître la fermeté de son cœur que la dureté de son âme.

Pour éviter cet inconvénient-là, Corneille n'a pas moins d'égard au caractère des femmes illustres qu'à celui de ses héros. Emilie anime Cinna à l'exécution de leur dessein [*Cinna*, I, 3], et va dans son cœur ruiner tous les mouvements qui s'opposent à la mort d'Auguste. Cléopâtre a de la passion pour César, et met tout en usage pour sauver Pompée [*La Mort de Pompée*]: elle serait indigne de César, si elle ne s'oppose à la lâcheté de son frère; et César indigne d'elle, s'il est capable d'approuver cette infamie. Dircé, dans l'*Œdipe*, conteste de grandeur de courage avec Thésée, tournant sur soi l'explication funeste de l'oracle, qu'il voulait s'appliquer pour l'amour d'elle.

Mais il faut considérer Sophonisbe [de Corneille], dont le caractère eût pu être envié des Romains même. Il faut la voir sacrifier le jeune Massinisse au vieux Syphax, pour le bien de sa patrie; il faut la voir écouter aussi peu les scrupules du devoir, en quittant Syphax, qu'elle avait fait les sentiments de son amour, en se détachant de Massinisse; il faut la voir qui soumet toutes sortes d'attachements: ce qui nous lie, ce qui nous unit, les plus fortes chaînes, les plus douces passions, à son amour pour Carthage, à sa haine pour Rome; il faut la voir enfin, quand tout l'abandonne, ne se pas manquer à elle-même, et dans l'inutilité des cœurs qu'elle avait gagnés, pour sauver son pays, tirer du sien un dernier secours, pour sauver sa gloire et sa liberté.

Corneille fait parler ses héros avec tant de bienséance, que jamais il ne nous eût donné la conversation de César avec Cléopâtre [*La Mort de Pompée*, IV, 3] si César eût cru avoir les affaires qu'il eut dans Alexandrie; quelque belle qu'elle puisse être, jusqu'à rendre l'entretien d'un amoureux agréable aux personnes indifférentes qui l'écoutent, il s'en fût passé assurément, à moins que de voir la bataille de Pharsale pleinement gagnée, Pompée mort, et le reste de ses partisans en fuite. Comme César se croyait alors le maître de tout, on a pu lui faire offrir une gloire acquise et une puissance apparemment assurée; mais quand il a découvert la conspiration de Ptolomée, quand il voit ses affaires en mauvais état, et sa propre vie en danger, ce n'est plus un amant qui entretient sa maîtresse de sa passion, c'est le général romain qui parle à la reine du péril qui les regarde, et la quitte avec empressement, pour aller pourvoir à leur sûreté commune.

Il est donc ridicule d'occuper Porus de son seul amour, sur le point d'un grand combat qui allait décider pour lui de toutes choses; il ne l'est pas moins d'en faire sortir Alexandre, quand les ennemis se rallient. On pourrait l'y faire entrer avec empressement, pour chercher Porus, non pas l'en tirer avec précipitation, pour aller revoir Cléophile: lui qui n'eut jamais ces impatiences amoureuses, et à qui la victoire ne paraissait assez pleine que lorsqu'il avait ou détruit, ou pardonné. Ce que je trouve pour lui de plus pitoyable, c'est qu'on lui fait perdre beaucoup, d'un côté, sans lui faire rien gagner de l'autre. Il est aussi peu héros d'amour que de guerre; l'histoire se trouve défigurée, sans que le roman soit embelli: guerrier dont la gloire n'a rien d'animé qui excite notre ardeur, amant dont la passion ne produit rien qui touche notre tendresse.

Voilà ce que j'avais à dire sur Alexandre et sur Porus. Si je ne me suis pas attaché régulièrement à une critique exacte, c'est que j'ai moins voulu examiner la pièce en détail, que m'étendre sur la bienséance qu'on doit garder à faire parler les héros; sur le discernement qu'il faut avoir, dans la différence de leurs caractères; sur le bon et le mauvais usage des tendresses de l'amour dans la tragédie, rejetées trop austèrement par ceux qui donnent tout aux mouvements de la *crainte* et de la *pitié*, et recherchées avec trop de délicatesse par ceux qui n'ont de goût que pour cette sorte de sentiments.

Hilaire Bernard de Longepierre
1659-1721

PARALLÈLE DE M. CORNEILLE
ET DE M. RACINE

I

M. CORNEILLE ET M. RACINE, tous deux d'un mérite infini, quoique d'un caractère différent à la gloire de leur pays, ont su porter parmi nous la tragédie à ce haut degré d'élévation où la firent monter autrefois les Grecs et où jamais les Romains avec toute leur grandeur de génie, n'ont pu atteindre. C'est à ces deux grands hommes que la France est redevable de l'honneur d'égaler l'ingénieuse Athènes et de triompher de la superbe Rome; dont la première a fait plus de dépense pour la représentation des tragédies et pour la récompense de ceux qui y réussissaient, que dans toutes les guerres qu'elle a eu à soutenir; dont la seconde a vu des Césars jaloux d'ajouter à tant d'augustes titres la qualité glorieuse de poète tragique.

From Recueil de dissertations sur plusieurs tragédies de Corneille et de Racine, avec des réflexions pour et contre la critique des ouvrages de l'esprit, et des jugemens sur ces dissertations, *L'Abbé François Granet, ed., Vol. I (Paris: Gissey, 1740). Section XXVI is based on the text given in Claude and François Parfaict,* Histoire du théâtre françois depuis son origine jusqu'à présent, *Vol. V (Paris: Le Mercier et Saillant, 1745–1749). First published: 1686.*

II

Ils sont tous deux grands: tous deux riches, élevés, pompeux; tous deux remplis de cette noblesse majestueuse qui fait le caractère propre de la tragédie.

III

Tous deux d'un génie extraordinaire et surprenant; tous deux d'un naturel heureux, d'une imagination brillante et féconde: d'un jugement solide, et d'un discernement exquis; tous deux pleins de ce beau feu qui a la vertu de ranimer véritablement les morts; semblable au feu du Ciel, dont Prométhée se servit autrefois pour donner la vie à l'homme.

IV

Tous deux heureux à inventer: tous deux habiles à bien peindre, tous deux exacts à conserver les caractères, les bienséances, le vraisemblable. Jamais accablés par les difficultés, toujours au-dessus de leur matière; enfin tous deux grands maîtres dans leur art et originaux en leur manière.

V

Celle de l'un est bien opposée à celle de l'autre et peut-être jamais deux personnes n'ont pris de routes si différentes, pour parvenir à un même but.

VI

M. Corneille a plus de pompe, plus d'éclat, plus de force: mais cet éclat est quelquefois faux et cette force est quelquefois dure et obscure.

M. Racine a plus de tendresse, plus de grâce, plus de douceur; mais cette grâce est par tout accompagnée de grandeur et cette douceur n'est jamais dépouillée de noblesse.

VII

On trouve quelque chose de plus héroïque, de plus extraordinaire, de plus surprenant dans le premier.

On sent dans le second quelque chose de plus vrai, de plus agréable, de plus touchant.

VIII

Il paraît plus d'art dans M. Corneille, peut-être parce qu'il y a moins de naturel, si cela se peut dire.

Il paraît plus de naturel dans M. Racine, sans doute, parce qu'il en a encore plus que d'art.

IX

M. Corneille a un talent extraordinaire pour peindre: on dirait qu'il tient la nature au dessous de lui; et que méprisant les idées qu'elle lui peut offrir, il ne veuille puiser que dans son génie, qui lui fournit en abondance ces traits singuliers et plus grands que nature; ce qui fait que ses portraits sont toujours merveilleux et ne sont pas toujours ressemblants; et qu'ils brillent et se font toujours admirés, par ce qu'ils ont de rare et d'extraordinaire.

Quelque confiance que M. Racine dût avoir en son génie, il n'a pas cru qu'il lui fût permis de le suivre toujours et de le prendre pour guide, au mépris de la nature. Il est persuadé que dans le plus rapide effort, on ne la doit jamais perdre de vue et qu'il faut toujours la consulter religieusement, comme l'oracle de la vérité et la seule pierre de touche du vrai et du faux. Aussi l'a-t-il toujours devant les yeux. L'embellissant sans la déguiser, outre la ressemblance, on remarque et on sent dans tous ces tableaux ce que les peintres appellent «belle nature». Ce qui fait qu'ils touchent et qu'ils frappent tous par ce qu'ils ont de vrai et de beau.

X

M. Corneille s'est persuadé que pour aller au cœur, il fallait aller à l'esprit. Mais Racine a cru au contraire qu'il fallait aller à l'esprit par le cœur. Et c'est là la source de la diversité de leur caractères.

Mais souvent l'esprit est frappé, sans que le cœur fût ému et le cœur n'est jamais touché que l'esprit ne se laisse entraîner. Ainsi, à parler en général, la seconde de ces routes est bien plus sûre que l'autre. Combien cela est-il plus vrai dans ces sortes d'ouvrages, dont le but est d'émouvoir et qui sont faits pour toutes sortes de gens? Il n'y a personne qui n'ait un cœur pour sentir et tout le monde n'a pas de l'esprit pour connaître — outre que le cœur est un juge bien plus sincère et bien meilleur que l'esprit. Ce dernier est sujet à se laisser éblouir par de faux brillants; mais le cœur ne peut sentir dans chaque chose que ce qui y est.

XI

Chez M. Corneille, l'esprit du spectateur s'élève avec satisfaction, en même temps que celui du poète. Il est charmé de prendre un effort si impétueux et de s'élever ainsi au-dessus de lui-même; toujours dans le mouvement, toujours dans la surprise, toujours dans l'admiration. Chez M. Racine le cœur est touché avec plaisir au gré du poète, qui en est le maître absolu. Ce cœur cédant à la force du charme, lui abandonne, avec sa liberté, tous ses mouvements, toutes ses passions, qu'il sent flattées avec tant d'art, et dont il ne pourrait faire un si doux usage. Il ne se connaît plus lui-même; et sans pouvoir distinguer la feinte d'avec la vérité, il croit que la nature l'échauffe quand ce n'est que le poète qui agit. Des choses feintes excitent en lui de véritables passions. Il se sent amollir ou troubler quelquefois malgré lui, souvent avec surprise, jamais sans douceur et sans plaisir, s'applaudissant toujours de sa faiblesse et faisant trophée de sa défaite.

XII

Pour connaître que le but principal où vise M. Corneille est l'esprit et qu'il en fait le premier objet de son étude et de son application, on n'a qu'à examiner la manière dont il en démêle les vues, les détours et les finesses.

Pour être convaincu que M. Racine s'attache principalement au cœur, il n'y a qu'à voir son habileté à en peindre au vif tous les mouvements. Il le tourne au gré de ses désirs; il en développe tous les replis; il en sonde toute la profondeur; il en perce tous les détours. Ce labyrinthe obscur et impénétrable n'en a aucun qui échappe à sa pénétration.

XIII

Le premier met de l'esprit, c'est-à-dire, du brillant et des pensées par tout. Il en mêle, ainsi qu'a fait Lucain, jusque dans les endroits les plus pathétiques et les plus passionnés — ce qui ralentit l'effet qu'ils ont sur le cœur: ces manières brillantes ne sont plus de sa sphère, elles sont de celle de l'esprit. Cette diversion qui se forme alors entre ces deux puissances de l'âme, fait, en la partageant, qu'elle n'a plus toute sa force ni toute son étendue: le cœur se refroidit, tandis que l'esprit s'échauffe. En un mot, l'on ne peut toucher vivement les deux tout à la fois. La vraisemblance même est blessée par ces manières trop spirituelles. Une véritable douleur, une véritable tendresse, une véritable colère, s'expriment plus nuement et ne songent pas à se parer d'ornements étrangers. Souvent même ces passions, lorsqu'elles sont bien vives, demeurent muettes, ou ne s'expriment que confusément. Comment pourraient-elles mettre en œuvre des pensées brillantes et ingénieuses, qui ne partent que d'un esprit libre, avec le secours du temps et de la réfléxion?

Le second ne fait paraître du brillant, que dans les endroits où il est à propos de le faire, suivant le précepte de cette ingénieuse Béotienne [*Corine*, Plutarque], il sème avec la main et non pas avec le sac, sans vouloir jamais être plus spirituel qu'il ne doit être. Dans les endroits pathétiques, vous le voyez s'abandonner tout entier à la seule nature et à la passion: il en fait une peinture vive, naïve et touchante, sans se soucier de la faire brillante et spirituelle. Partout il offre des images vraies, naturelles, suivies, bien placées, ainsi qu'ont fait Térence et Virgile. En un mot, ce n'est plus le poète, c'est la nature elle-même qui s'exprime: faut-il s'étonner de l'impression que le cœur en reçoit?

XIV

On est ébloui du beau feu qui éclate dans les ouvrages de M. Corneille; mais ce beau feu, tel que celui des éclairs, brille souvent sans échauffer. Le feu de M. Racine échauffe toujours, semblable à celui du soleil, qui éclaire et qui échauffe en même temps.

XV

M. Corneille est admirable à bien peindre la grandeur d'âme, la vertu, la fierté, etc. Rien n'est plus grand, plus noble, plus héroïque, que les sentiments qu'il étale. On est charmé de voir le poète ajouter un nouvel éclat à ces vertus si brillantes d'elles-mêmes: cet éclat rejaillit jusque dans l'âme du spectateur. L'esprit frappé, d'une admiration proportionnée, jouit d'un si bel objet avec tout le plaisir dont il est capable.

M. Racine n'est jamais plus lui-même, que lorsqu'il touche les passions douces, telles que sont l'amour, la pitié, la tendresse, etc. C'est là surtout où il triomphe. Que de délicatesse! que de vivacité! que de naturel! quel talent à mettre au jour tous les divers mouvements de cette passion qui enferme toute seule toutes les autres; je parle de l'amour. Comment le cœur qui se reconnaît si aisément dans ces portraits animés et vivants, n'en serait-il pas touché? Aussi n'a-t-il ni le pouvoir ni la volonté de résister. Il échange sa liberté avec joie contre un si agréable esclavage, il se laisse saisir avec plaisir à ces mouvements qui lui sont les plus doux: il avoue même sa faiblesse par des larmes, ces témoins sincères, ces gages infaillibles du trouble de l'âme; c'est une espèce de tribut qu'il paie avec satisfaction à un vainqueur, qui n'emploie contre lui que de si douces armes.

XVI

M. Corneille a des saillies éclatantes qui frappent vivement les yeux: mais il est inégal et il ne se soutient pas toujours. C'est un torrent qui, dans son cours peu réglé, quelquefois fait beaucoup de bruit et se précipite avec impétuosité ou s'élève avec violence; quelquefois coule lentement et paraît beaucoup moindre que lui-même.

M. Racine est plus uni. Vous n'y trouverez point d'endroits qui traînent, qui languissent, qui fassent méconnaître l'auteur: il agit presque toujours avec moins de bruit et jamais sans effet. Il emploie des ressorts que peu de gens sont capables de connaître, loin de les pouvoir admirer, et que tout le monde est capable de sentir. C'est une rivière grande et belle, qui, dans un cours réglé et paisible, roule majestueusement ses ondes et qui entraîne en tout temps tout ce qui se rencontre sur son passage.

XVII

Chez M. Corneille, les fins connaisseurs remarquent avec admiration et tous les autres sentent avec plaisir une grande intelligence du théâtre. Il règne dans toutes ses pièces une belle économie; on discerne aisément qu'elles sont conduites par une main de maître, qui manie son sujet à son gré, qui paraît s'en jouer et qui est toujours fort au-dessus.

M. Racine n'entend pas moins bien le théâtre, quoiqu'on veuille dire le contraire. Bien des gens ne lui rendent pas là-dessus toute la justice qu'il mérite et prononcent hautement en faveur de M. Corneille. Mais il ne faut pas toujours se laisser entraîner au torrent de l'opinion et il est bon de ne pas asservir sa raison aux préjugés d'autrui. N'en déplaise à ceux qui sont d'un sentiment opposé, les choses me paraissent assez égales, pour ne rien dire de plus en faveur de M. Racine. Au moins est-il certain que j'y trouve souvent plus d'union dans l'action et que mon attention n'y est point détournée avec violence par ces scènes coupées, désunies et hors d'œuvres, telles qu'il y en a plusieurs, par exemple dans *le Cid*.

XVIII

Non seulement pour l'intelligence du théâtre, mais aussi pour tout le reste, vous trouverez beaucoup d'art, beaucoup de finesse, beaucoup d'esprit dans M. Corneille. Il tire presque toujours des choses, tout ce qu'on en peut tirer de ce côté-là. Souvent les plus grands obstacles lui fournissent les plus grandes beautés et les épines se changent en roses entre ses mains. Quels effets ne produit point cet art dans le troisième acte des *Horaces* et dans cette scène de *l'Œdipe*, où ce malheureux Prince s'avoue lui-même auteur du meurtre de Laïus, en croyant convaincre un de ses assassins.

Même avantage, même talent dans M. Racine. Je n'en veux pour garant que l'admirable caractère de Phèdre, ce chef-d'œuvre de l'art et cet effort de l'esprit humain. A parler sincèrement, je doute qu'il y ait quelque chose, je ne dis pas parmi nous, mais parmi les anciens, qu'on puisse lui préférer avec justice.

XIX

On ne peut exprimer avec combien de dextérité M. Corneille conduit une intrigue de Cour; ni avec combien d'habileté il dévoile un mystère de cabinet. Que de profondeur, que de raffinement dans les raisonnements et dans la politique qu'il étale! Mais, le dirai-je, ces réflexions et ces raisonnements, quoiqu'admirables, me paraissent convenir mieux à un historien qui aurait choisi Tacite pour modèle, qu'à un acteur à qui on demande toute autre chose. On veut du pathétique sur le théâtre, et cela nuit un peu à ces beautés trop recherchées de M. Corneille.

M. Racine songe plus à donner de la passion à ses personnages, qu'à les faire raisonner. Il sait que la meilleure politique, le plus grand art qu'on puisse étaler sur le théâtre, est celui de remuer les passions. Chez lui, les raffinements, les délicatesses du cœur sont préférables à celles de l'esprit. Il semble éviter avec soin tous ces ornements ambitieux qui plaisent sans échauffer.

XX

Les anciens faisaient de fort belles tragédies, sans y mêler d'amour. Mais parmi nous l'usage, notre goût et peut-être même la raison ont donné à cette passion tant de cours, qu'elle est à présent l'âme du théâtre et le principal ressort de la tragédie. M. Corneille n'a pas été toujours heureux à la mettre en œuvre. Il l'a peinte rarement dans tout son naturel, surtout dans les dernières de ses pièces. Il n'y trace que de fausses images d'un amour toujours imaginaire et sans chaleur. Ce ne sont que des ombres et des fantômes qui portent bien le nom d'amour, mais qui n'ont aucune ressemblance avec lui.

Jamais personne au contraire n'a mieux manié cette passion que M. Racine; faiblesses, ardeur, transports, crainte, ruses, artifices, inquiétude, emportement, langueur, délicatesse, etc., rien n'échappe à sa vue. Les traits les plus fins et les plus naturels; les détours les plus cachés; les mystères les plus passionnés et les plus secrets; tout est dévoilé par lui naturellement, à propos, d'un air tendre: l'amour respire lui-même dans ses pièces et y échauffe véritablement.

XXI

Pour le style, M. Corneille a de l'élévation et de la pompe; mais ce n'est pas toujours. Il a de la grandeur et de la noblesse; mais elles sont quelquefois mêlées de dureté, quelquefois dans ces endroits même où il s'élève au-dessus de la portée du reste des hommes, il emploie des expressions basses et indignes de la beauté des sentiments, de l'élévation des pensées et de la grandeur du génie du poète. L'esprit est frappé de cette disproportion et s'indigne de cet assemblage bizarre des choses les plus hautes et des paroles les plus communes. Il m'est arrivé souvent d'admirer, comment cela se pouvait allier et comment un génie tel que celui de M. Corneille pouvait ramper ainsi dans le plus haut point de son élévation.

Le style de M. Racine est plus égal et plus beau. Il est magnifique, noble, plein et est en même temps doux, agréable et naturel. La beauté de ses expressions ne cède point à celles de ses pensées. Rien d'enflé, de dur, de guindé. Rien de faible, de sec, de rampant. L'oreille, l'esprit, le cœur, sont toujours également satisfaits. Ajoutons qu'il a employé, dans ses dernières pièces surtout, certaines expressions figurées et sublimes, qui ont autant de beauté que d'éclat et qui répondent admirablement au caractère pompeux de la tragédie.

XXII

La versification de M. Racine est du même goût que son style. Elle est aisée, nombreuse, naturelle et magnifique, douce et noble. Dans sa manière d'écrire, toute grande qu'elle est, on ne trouve rien d'obscur ni d'embarrassant, rien qui, bandant trop l'esprit, fasse trop payer sa noblesse par une pénible application.

La versification de M. Corneille ne saurait être mise raisonnablement en parallèle: elle lui cède sans difficulté, quoiqu'elle soit belle en plusieurs endroits, il faut avouer aussi qu'elle ne se soutient pas. Souvent elle est dure, ou guindée; ailleurs elle est décharnée et rampante. Quelquefois le poète, s'abandonnant à l'enthousiasme, prend à perte d'haleine un effort si impétueux et s'élève si haut, qu'on le perd entièrement de vue.

XXIII

M. Corneille n'a pas été heureux dans le choix de la plupart de ses sujets. A peine souvent le nom en est-il connu: tout le reste est enseveli dans une obscurité dont il est difficile de tirer un grand éclat. L'action même qu'il choisit est quelquefois peu tragique et peu propre à exciter des mouvements bien vifs. On dirait que ce grand homme a manqué de goût ou d'adresse en ces occasions — ou plutôt qu'il a méprisé ce qui lui paraissait trop facile et que se confiant en ses forces, il a voulu chercher à augmenter sa gloire par les difficultés et devoir tout à son génie et rien à sa matière.

M. Racine, au contraire, a réussi admirablement dans le choix de ses sujets. Il a eu tout le bon goût et toutes les lumières nécessaires pour faire un discernement avantageux. Sans trop présumer de lui-même, il a mieux aimé devoir quelque chose à son sujet, que de risquer la réussite d'une pièce, dont le mauvais succès retombe infailliblement sur l'auteur, sans qu'on s'en prenne jamais au sujet. Mais parmi les roses il naît des épines et les sujets les plus heureux ne laissent pas d'avoir leurs difficultés, qui sont quelquefois très grandes. La gloire de les aplanir n'est pas médiocre et en un mot, pourvu qu'on fasse bien, il n'importe comment. Le spectateur qui se sent touché d'une pièce ne s'informe pas si elle doit une partie de sa beauté au sujet; ou s'il s'en informe, le plaisir qu'il ressent le porte à louer en cela même l'adresse et le discernement de l'auteur.

XXIV

M. Corneille a sur M. Racine l'avantage de l'avoir précédé. Tous ceux qui excellent les premiers en quelque chose, attirent et attachent bien plus les regards; de même que le soleil des jours sombres paraît plus brillant et que la lumière a plus d'éclat au milieu des ténèbres. Sans les belles pièces de M. Corneille, nous aurions été frappés bien plus vivement de celles de son rival. Les regards, déjà accoutumés à un éclat si vif, ne s'éblouissent plus si aisément. M. Racine s'est soutenu par ses propres forces contre ce désavantage involontaire. Il n'a pu empêcher que M. Corneille n'ait écrit avant lui; il a tâché d'empêcher qu'il n'ait écrit mieux que lui. Ainsi il a tourné l'injustice du hasard à son avantage et il a su tirer une gloire nouvelle du caprice du temps. En effet, plus il a été dangereux d'entrer dans une carrière, où un autre triomphait depuis longtemps et semblait être en sûreté contre l'incertitude de l'avenir, par le succès du passé et par la préoccupation des spectateurs, plus il a eu de gloire à l'atteindre en si peu de temps et à lui disputer le prix. En vérité, il faut que les pièces de M. Racine soient d'une beauté extraordinaire, pour avoir produit tout l'effet qu'elles ont produit après celles de M. Corneille. Qu'aurait-ce donc été, si elles avaient paru auparavant?

XXV

Ce n'est pas le seul ni le plus considérable avantage dont M. Corneille soit redevable au temps. Il lui en doit encore un autre qui impose bien plus: c'est qu'ayant devancé M. Racine, il paraît original à son égard. Je sais qu'on pourrait dire la même chose de M. Corneille lui-même, par rapport à ceux qui l'ont précédé: mais cependant, comme il a passé de bien loin tous ceux qui avant lui avaient couru dans cette carrière, il faut avouer à sa gloire, qu'il peut passer pour modèle et le seul sur quoi l'on aurait pu se mouler, si M. Racine n'eût point écrit.

M. Racine n'a paru qu'après M. Corneille; mais il ne l'a pas copié: il a couru après lui dans la même carrière, mais sans marcher sur ses pas. Il a pris une autre route pour arriver au même but. Ce sont deux originaux de différente manière. La seule diversité de leurs caractères conserve là-dessus à M. Racine toute sa gloire; autrement il faudrait dire qu'Aristophane a été original à l'égard de Ménandre et qu'Euripide n'est qu'une copie de Sophocle, auquel même Eschyle aurait servi d'original, si l'ancienneté en décidait. Disons donc qu'il y a pour le moins autant de gloire à être second original en quelque chose, qu'à être le premier et que la difficulté de trouver des choses nouvelles dans ce qui ne l'est plus et de s'empêcher de donner dans ce qu'on a de beau devant les yeux ne cède en rien à la peine d'inventer. Qui ne voit pas que le premier travaille dans un champ bien plus vaste et bien plus fertile et qu'on pourrait dire en quelque manière, que le second ne peut plus que glaner où l'autre a recueilli une abondante moisson.

XXVI

Les dernières pièces de Sophocle soutinrent dignement la réputation qu'il s'était acquise par les premières. On dit qu'il mourut fort vieux de la joie que lui donna le succès d'une de ses tragédies et son Œdipe, détruisant glorieusement pour lui l'injuste accusation de son fils, lui gagna hautement les suffrages de tous ses juges. M. Corneille n'a pas eu une destinée si heureuse. Ses derniers ouvrages n'ont pas attiré tant d'applaudissements que les premiers. Et si sa réputation n'avait pas été au plus haut point, peut-être en aurait-il perdu une bonne partie, pour avoir travaillé trop longtemps. On dirait, à voir ses dernières pièces, que le génie vieillit et s'use avec le corps. Il y règne bien encore un certain air de grandeur et de conduite; mais pour du génie et du naturel, on ne l'y sent plus du tout et ses tragédies ne sont, si j'ose le dire, que des squelettes secs et décharnés, sans vie, sans âme, sans mouvement, en comparaison du *Cid*, des *Horaces*, de *Cinna*, de *Polyeucte*, etc. On n'y voit presque que de faux objets, que de saintes passions, que des mouvements imaginaires. Enfin on y remarque un grand homme qui cherche à se soutenir par l'artifice et par l'esprit, quand son génie l'abandonne et à réparer, par le secours de l'art, la nature défaillante et éteinte. Je suis persuadé même que ses dernières pièces lui ont bien plus coûté que celles qui lui ont acquis tant de gloire et que si le succès se réglait sur la peine, la destinée de ses derniers ouvrages aurait été plus heureuse. Il aurait été lui-même plus heureux s'il avait su se borner à la gloire qu'il avait si justement méritée et l'on pourrait dire de lui, comme Apelle disait autrefois, qu'il n'a pas su connaître ce qui suffisait.

M. Racine a été plus heureux en ce point. Il a celle[1] de travailler lorsqu'il était dans sa plus grande force et dans sa plus haute réputation. Dans un temps où sa gloire pouvait s'étendre, sans s'augmenter et où il pouvait soûtenir tant de réputation sans y pouvoir ajouter. Au lieu qu'il

---

[1] Antecedent: *destinée*, line 6 of this section. (RJN)

eût été à souhaiter que M. Corneille eût abandonné plus tôt la carrière, M. Racine a eu le plaisir de voir que la France, quelque amour qu'elle ait pour son Roi et quelque intérêt qu'elle prenne à sa gloire, n'a pu voir, sans regret, qu'on lui enlevât ses délices, pour faire passer à la postérité, les merveilles de ce règne. Heureux de pouvoir jouir lui-même des regrets du public (bonheur qui n'est pas fait pour les vivants) et de devoir à l'emploi glorieux qui l'a tiré du théâtre, ce premier gage d'immortalité.

XXVII

Enfin pour donner quelque légère idée de l'un et de l'autre, comparons les beautés de M. Corneille à une belle statue. Il y a plus de grandeur, plus de force, plus de majesté, quelque chose de plus mâle, de plus hardi, de plus hors d'œuvre: c'est une beauté plus fière, plus grave, plus vénérable, qui frappe davantage et qui se fait plus admirer.

Comparons les beautés de M. Racine à celles d'un excellent tableau. Il y a plus de grâce, plus de douceur, plus de délicatesse, quelque chose de plus tendre, de plus naturel, de plus plein de vie. C'est une beauté toute agréable, toute engageante, qui charme les yeux et qui touche le cœur, enfin qui se fait aimer davantage.

XXVIII

Et pour les comparer aux deux plus grands hommes que l'antiquité ait produits en ce genre d'écrire pour la tragédie, disons que M. Corneille approche davantage de Sophocle et que M. Racine ressemble plus à Euripide. Les ouvrages des deux grands hommes dont je parle sont les délices et l'admiration de leur siècle, ainsi que ces deux poètes grecs l'ont été du leur. La postérité la plus réculée n'aura pas moins de vénération pour Corneille et pour Racine, que pour Sophocle et pour Euripide. Ces grands noms, triomphants de l'oubli et victorieux de l'envie, sont assurés d'une immortalité glorieuse. Tant qu'il restera quelque amour pour les belles choses, on parlera avec admiration de M. Corneille et de M. Racine.

Jean de La Bruyère
1645-1696

LES CARACTÈRES DE CORNEILLE
ET DE RACINE

CORNEILLE NE PEUT ÊTRE ÉGALÉ dans les endroits où il excelle: il a pour
lors un caractère original et inimitable; mais il est inégal. Ses premières
comédies sont sèches, languissantes, et ne laissaient pas espérer qu'il dût
ensuite aller si loin; comme ses dernières font qu'on s'étonne qu'il ait pu
tomber de si haut. Dans quelques unes de ses meilleures pièces, il y a des
fautes inexcusables contre les mœurs, un style de déclamateur qui arrête
l'action et la fait languir, des négligences dans les vers et dans l'expression qu'on ne peut comprendre en un si grand homme. Ce qu'il y a eu en
lui de plus éminent, c'est l'esprit, qu'il avait sublime, auquel il a été
redevable de certains vers, les plus heureux qu'on ait jamais lus ailleurs,
de la conduite de son théâtre, qu'il a quelquefois hasardée contre les
règles des anciens, et enfin de ses dénouements; car il ne s'est pas
toujours assujetti au goût des Grecs et à leur grande simplicité: il a aimé
au contraire à charger la scène d'événements dont il est presque toujours

---

From Les Caractères, ou les mœurs de ce siècle *in Œuvres de* La Bruyère, *M. G.
Servois, ed., Vol. I (Paris: Librairie Hachette, 1865–1882). First published: 1688.
Title supplied by RJN.*

sorti avec succès; admirable surtout par l'extrême variété et le peu de
rapport qui se trouve pour le dessein entre un si grand nombre de
poèmes qu'il a composés. Il semble qu'il y ait plus de ressemblance dans
ceux de Racine, et qui tendent un peu plus à une même chose; mais il est
égal, soutenu, toujours le même partout, soit pour le dessein et la
conduite de ses pièces, qui sont justes, régulières, prises dans le bon sens
et dans la nature, soit pour la versification, qui est correcte, riche dans
ses rimes, élégante, nombreuse, harmonieuse: exact imitateur des
anciens, dont il a suivi scrupuleusement la netteté et la simplicité de
l'action; à qui le grand et le merveilleux n'ont pas même manqué, ainsi
qu'à Corneille ni le touchant ni le pathétique. Quelle plus grande
tendresse que celle qui est répandue dans tout *le Cid*, dans *Polyeucte* et
dans *les Horaces*? Quelle grandeur ne se remarque point en Mithridate,
en Porus et en Burrhus? Ces passions encore favorites des anciens, que
les tragiques aimaient à exciter sur les théâtres, et qu'on nomme la
terreur et la pitié, ont été connues de ces deux poètes. Oreste, dans
l'*Andromaque* de Racine, et Phèdre du même auteur, comme l'*Œdipe* et
les Horaces de Corneille, en sont la preuve. Si cependant il est permis de
faire entre eux quelque comparaison, et les marquer l'un et l'autre par ce
qu'ils ont eu de plus propre et par ce qui éclate le plus ordinairement
dans leurs ouvrages, peut-être qu'on pourrait parler ainsi: «Corneille
nous assujettit à ses caractères et à ses idées, Racine se conforme aux
nôtres; celui-là peint les hommes comme ils devraient être, celui-ci les
peint tels qu'ils sont. Il y a plus dans le premier de ce que l'on admire, et
de ce que l'on doit même imiter; il y a plus dans le second de ce que l'on
reconnaît dans les autres, ou de ce que l'on éprouve dans soi-même. L'un
élève, étonne, maîtrise, instruit; l'autre plaît, remue, touche, pénètre. Ce
qu'il y a de plus beau, de plus noble et de plus impérieux dans la raison,
est manié par le premier; et par l'autre, ce qu'il y a de plus flatteur et de
plus délicat dans la passion. Ce sont dans celui-là des maximes, des
règles, des préceptes; et dans celui-ci, du goût et des sentiments. L'on est
plus occupé aux pièces de Corneille; l'on est plus ébranlé et plus attendri
à celles de Racine. Corneille est plus moral, Racine plus naturel. Il
semble que l'un imite Sophocle, et que l'autre doit plus à Euripide.»

Bernard Le Bovier de Fontenelle
1657-1757

PARALLÈLE DE CORNEILLE
ET DE RACINE

I. CORNEILLE N'A EU DEVANT LES YEUX aucun auteur qui ait pu le guider. Racine a eu Corneille.

II. Corneille a trouvé le Théâtre Français très grossier, et l'a porté à un haut point de perfection. Racine ne l'a pas soutenu dans la perfection où il l'a trouvé.

III. Les caractères de Corneille sont vrais, quoiqu'ils ne soient pas communs. Les caractères de Racine ne sont vrais que parce qu'ils sont communs.

IV. Quelquefois les caractères de Corneille ont quelque chose de faux à force d'être nobles et singuliers. Souvent ceux de Racine ont quelque chose de bas, à force d'être naturels.

V. Quand on a le cœur noble, on voudrait ressembler aux héros de Corneille; et quand on a le cœur petit, on est bien aise que les héros de Racine nous ressemblent.

From Œuvres de Fontenelle, *G.-B. Dopping, ed., Vol. II (Paris: Bolin, 1818).*
First published: 1693.

VI. On rapporte des pièces de l'un, le désir d'être vertueux, et des pièces de l'autre, le plaisir d'avoir des semblables dans ses faiblesses.

VII. Le tendre et le gracieux de Racine se trouvent quelquefois dans Corneille; le grand Corneille ne se trouve jamais dans Racine.

VIII. Racine n'a presque jamais peint que des Français, et que le siècle présent, même quand il a voulu peindre un autre siècle, et d'autres nations. On voit dans Corneille toutes les nations, et tous les siècles qu'il a voulu peindre.

IX. Le nombre des pièces de Corneille est beaucoup plus grand que celui des pièces de Racine, et cependant Corneille s'est beaucoup moins répété lui-même que Racine n'a fait.

X. Dans les endroits où la versification de Corneille est belle, elle est plus hardie, plus noble, plus forte, et en même temps aussi nette que celle de Racine; mais elle ne se soutient pas dans ce degré de beauté et celle de Racine se soutient toujours dans le sien.

XI. Des auteurs inférieurs à Racine ont réussi après lui dans son genre; aucun auteur, même Racine, n'a osé toucher après Corneille au genre qui lui était particulier.

Maître Tafignon
fl. ca. 1700

DISSERTATION SUR LES CARACTÈRES DE CORNEILLE ET DE RACINE, CONTRE LE SENTIMENT DE LA BRUYÈRE

ON ACCOURT TOUS LES JOURS aux représentations des pièces de Corneille et de Racine. Tout Paris y porte avec empressement ses suffrages — on les lit, on les apprend, on les étudie, et comme chacun veut connaître particulièrement ce qu'il aime, on s'applique à leur caractère. Entre plusieurs que nous avons plus ou moins sensés, on s'attache à celui-ci: «Corneille peint les hommes comme ils devraient être, et Racine les peint tels qu'ils sont.»

Ce jugement, tant on le croit sûr, semble avoir déchargé le public d'examiner jamais autrement la différence de ces deux célèbres écrivains. Je ne m'étonne pas qu'il se soit si bien établi la mollesse des esprits de ce siècle le favorise. On admire dans Corneille des sentiments dont on ne se croit pas capable; dans Racine le cœur faisait avidement

---

Based on Recueil de dissertations sur plusieurs tragédies de Corneille et de Racine, avec des réflexions pour et contre la critique des ouvrages de l'esprit, et des jugemens sur ces dissertations, *l'Abbé Français Granet, ed., Vol. I (Paris: Gissey, 1740). First published: 1705.*

les images des faiblesses qui sont en lui et s'aveugle sur le reste. Voilà sur quoi est appuyé le jugement qu'a fait la Bruyère. J'entreprends d'en montrer la fausseté et la vérité de celui qui lui est opposé. Assez d'illustres personnes, restes de ces anciens Romains, que la plupart du monde ne conçoit aujourd'hui qu'en idée, penseront comme moi et les autres se verront peut-être obligés de croire ce qu'ils ne s'imaginaient pas qu'on leur pût persuader.

Je prouverai donc que Corneille a peint les hommes tels qu'ils sont et je montrerai le contraire dans quelques pièces de Racine.

Les caractères ou les mœurs sont ce qui fait qu'une personne est d'une telle façon; Aristote les appelle «les causes des actions.» Si donc la plupart des actions que Corneille a représentées sont vraies, il s'ensuit que les caractères dans ses pièces le sont aussi, par la liaison intime de l'effet et de sa cause. Un exemple va l'expliquer.

Horace est d'une vertu féroce et barbare, il n'est occupé que des intérêts de sa patrie, prêt à tout sacrifier pour la servir. Dès qu'il est nommé un des trois combattants, son ardeur redouble, il croit que Rome, en l'honorant de son choix, l'en a rendu digne. Quand Curiace s'abandonne à la cruelle pensée de ce que lui va coûter la défense d'Albe et qu'il se plaint que sa gloire consiste désormais à tuer le frère de sa maîtresse, Horace lui remontre que le fort mesure ses coups à leurs grandes âmes; qu'au reste on se doit tout entier à sa patrie; qu'il faut fermer les yeux à ce qu'on a de plus cher, pour ne les ouvrir que sur elle. Il lui en donne l'exemple: il oublie qu'il va combattre un parent et un ami tout ensemble.

> Albe vous a nommé, je ne vous connais plus.
>
> *(II, 3, 503)*

Enfin il revient seul vainqueur des trois Curiaces. Enflé d'un succès qui assure la liberté de son pays, il rencontre sa sœur. Lui commande d'honorer, comme elle doit, sa victoire. Camille, plongée dans la douleur de la perte de son amant, fait éclater ses soupirs et ses regrets, elle s'emporte jusqu'à souhaiter que la gloire d'un frère si cruel soit bientôt souillée par quelque lâche action. Horace ressent cet outrage, mais il se contente de lui dire qu'elle oublie la mort d'un amant, qui vient de rendre Rome triomphante. Rome, dit Camille, à qui tu as immolé mon cher Curiace, je la hais. Parce que tu l'aimes et qu'elle t'honore, puissent cent peuples conjurés venir la détruire, puisse-t-elle renverser sur elle-même ses propres murailles, puissé-je voir expirer le dernier Romain.

> Moi seule en être cause, et mourir de plaisir.
>
> *(IV, 5, 1318)*

Horace qui avait renoncé aux plus tendres sentiments de la nature, pour défendre Rome, n'en conserve pas. Lorsqu'il entend vomir contre elle des blasphèmes horribles, par une sœur qui noircit sa maison de ce déshonneur, il frémit de colère et la tue.

Tite-Live rapporte ainsi cette action: qu'est-ce qui la produit? ce sont les mœurs d'Horace; je veux dire, sa vertu féroce et barbare. La vérité de l'action emporte donc avec soi celle du caractère qui est sa cause.

Voilà déjà un caractère qu'on doit reconnaître pour vrai: caractère cependant où la nature semble surmontée, où éclate pompeusement le devoir qui nous attache au service de la patrie jusques-là qu'un homme s'empresse de combattre pour ses intérêts des parents qu'il chérit.

Par ce mot de parents, je n'entends pas le mariage d'Horace avec la sœur des Curiaces, comme l'a supposé le poète en faveur de l'heureux personnage de Sabine. Je l'entends selon l'Histoire. Voici ce qu'en dit Denis d'Halicarnasse: «Un nommé Sequinius, d'Albe, eut deux filles jumelles, dont il maria l'une à un de ses concitoyens, de la famille des Curiaces, et l'autre à un Romain, de la famille des Horaces. Du premier accouchement elles enfantèrent chacune en un même jour trois fils jumeaux, qui furent ces six fameux combattants» (Livre 3). Ils étaient donc cousins germains. J'ajouterai que Denis d'Halicarnasse ne doute point, comme Tite-Live, que les Horaces ne fussent Romains et les Curiaces Albains. Rentrons dans notre sujet.

La même raison qui prouve pour le caractère d'Horace, prouve aussi pour celui de Cléopatre dans *Rodogune*. A-t-on de la peine à croire que cette Reine ne soit autant charmée de la couronne, que le poète la dépeint l'être, puisque pour se la conserver elle tua son mari, Séleucus, un de ses fils et tenta d'empoisonner l'autre, avec Rodogune sa maîtresse, par une horrible dissimulation, dont on n'est pas surpris, après qu'elle a été à un si haut point dans Tibère et Louis XI?

On ne peut douter de ces preuves, à moins qu'on ne doute en même temps que ce qui s'est fait se soit pu faire.

Examinons maintenant, si les autres caractères de Corneille, peu ou

nullement appuyés sur l'histoire, ressemblent à ce que sont de grands
hommes et s'ils sont peints d'après nature.

*   *   *

[Ce n'est pas qu'il n'y ait des conjonctures (comme seraient celles de
venger la mort d'un père sur un amant qu'on adore) où] un amour violent
combat puissamment en secret des sentiments fort naturels. Mais quand
on considère que le même instant qui ruine cet amour, devait au
contraire le rendre heureux, on pardonne volontiers à un cœur accablé
de la mort d'un père et prêt à perdre, pour en tirer vengeance, le plus
cher objet de ses désirs, on lui pardonne volontiers d'oublier un peu ce
qu'il perd en faveur de ce qui lui reste et de ne pouvoir bien démêler ses
sentiments sur les deux passions qui le déchirent, lorsque ce cœur
s'entretient seul, ou bien s'ouvre en confidence, pourvu qu'il ne suive
que son devoir en public, car on a toujours mis une grande différence
entre penser et agir. Les actions doivent être proportionnées à ce qui
forme l'honnête; — les pensées sont libres, parce qu'elles sont intérieures
et cachées. Nous pensons en nous, nous pensons pour nous.

Il est aisé de voir que je veux parler de Chimène. Sans m'engager
dans un long détail, je dirai aussi un mot de son amant.

Les judicieux Critiques du *Cid* aimeraient mieux qu'il eût préféré
son amour à son devoir, que non pas Chimène: «Rodrigue,» disent-ils,
«était un homme et son sexe qui est comme en possession de fermer les
yeux à toutes considérations pour se satisfaire en matière d'amour, eût
rendu son action moins étrange et moins insupportable.»[1] Quand il
serait vrai qu'un homme amoureux oubliât tout pour se satisfaire,
Rodrigue en ne vengeant point l'affront de son père, ne se fût pas
satisfait, c'est-à-dire, n'eût pas possédé Chimène, parce qu'«un homme
sans honneur ne la méritait pas.» De plus, parce que le Comte, de
l'humeur dont il était, eût engagé ailleurs sa fille pour braver encore
Don Diègue en la personne de son fils. Mais on ne pouvait prévoir ces

---

[1] *Les Sentiments de L'Académie Française sur la tragi-comédie du Cid* (1638)
in *Œuvres de P. Corneille*, Ch. Marty-Laveaux, ed. (Paris: Librairie Hachette,
1862–1868), Vol. XII, p. 473.

fuites que par la réflexion. Aussi était-il impossible que Rodrigue n'en fît pas, avant que d'agir, sur un malheur tel que le sien. Il ruinait donc également par là toutes ses espérances: d'un autre côté, il tombait dans un mépris général et éternel, de n'avoir pas vengé son père du plus sanglant affront qu'un Gentilhomme puisse recevoir et que la faiblesse de son âge aurait laissé impuni. Comment résister à ces considérations? Comment demeurer couvert de honte dans un royaume tout plein de titres et de la valeur de ses ancêtres? Les plus lâches craindraient un mépris si déclaré.

Il est inutile de m'arrêter davantage sur les caractères de Rodrique et de Chimène. J'ai tâché d'y montrer toute l'honnêteté qui pouvait y être; le cœur par soi-même y reconnaît assez la nature.

Lorsque le vieil Horace est au désespoir d'apprendre que le dernier de ses fils a fui devant les Curiaces et qu'on lui demande ce qu'il voulait donc que fît un homme resté seul dans un combat contre trois, il répond avec transport, qu'«il mourût» (*IV, 6, 1021*); c'est là l'héroïque qui est sans doute plus propre à la tragédie, qu'une exacte fidélité en amour, sur laquelle roule toute une pièce de Racine.

Roxane[2] a reçu un ordre d'Amurat, occupé à la guerre, de faire mourir Bajazet son frère, enfermé depuis longtemps dans le Sérail. Elle lui ouvre les portes de sa prison et le met en état de monter sur le trône, s'il veut lui promettre sa foi. Bajazet, qui adore Atalide, ne veut rien promettre et se retranche sur les sentiments de reconnaissance. Roxane, indignée de ses froideurs, souscrit à sa perte, commande au Vizir de fermer le Sérail et de faire rentrer les esclaves dans leur devoir. Le Vizir découvre la cause de ce changement, il remontre à Bajazet, qu'il favorisait, ce qu'il avait à espérer et ce qu'il a maintenant à craindre; il le presse de promettre et lui dit vingt fois que quand il sera maître de l'Empire, il le sera aussi de sa promesse. Cet amant, sans laisser voir la passion qui le retient, refuse de se rendre aux remontrances de son ami. Atalide, alarmée du péril où est son amant, accourt à son aide, fait parler ses soupirs et ses douleurs, le prie de contenter la Sultane. Bajazet s'obstine encore plus à mourir fidèle. Son amante lui dit elle-même qu'il peut vivre sans la trahir.

---

[2] In Racine's *Bajazet*. (RJN)

La Sultane vous aime, et malgré sa colère,
Si vous preniez, Seigneur, plus de soin de lui plaire,
Si vos soupirs daignaient lui faire pressentir,
Qu'un jour . . .

Je vous entends, je n'y puis consentir.

(*II*, *5*, *729–732*)

Enfin pressé par les pleurs de sa maîtresse, il se résout à paraître devant Roxane. Comme on croit aisément ce qu'on souhaite, la Sultane n'aperçoit pas plutôt Bajazet qu'elle s'imagine que l'amour seul le ramène. Sans qu'il témoigne aucune ardeur, elle reprend pour lui toute sa tendresse. Atalide apprend par le Vizir, qui ne savait rien de son amour, la réconciliation de la Sultane et de Bajazet et même que tous les deux avaient marqué à l'envi leur joie et leurs feux, ce qui n'était pas. Néanmoins elle le croit, quoiqu'elle dût assez connaître son amant pour ne pas soupçonner qu'il eût paru véritablement amoureux. Elle le voit, lui fait des reproches; son amant n'en peut souffrir l'injustice et dans le temps que la Sultane, déçue par son propre amour, vient le déclarer Empereur dans le Sérail, il ne peut feindre un moment et lui répond qu'il va attendre les effets de ses bontés, si sa complaisance et ses soins peuvent les mériter. Cette amante offensée rentre dans sa première fureur, jure sa perte. Atalide évanouie lui fait découvrir sa rivale, elle le livre aux muets. Bajazet perd ainsi la vie, l'Empire et sa maîtresse, bien qu'il se serait conservé, en feignant quelque favorable disposition pour la Sultane, jusqu'après l'exécution. Certainement les hommes ne ressemblent point à ce portrait, si ce n'est ceux qui habitent le pays de Tendre.

On peut dire que Racine n'a pas eu les véritables idées de la tragédie, lorsqu'il fait consister tout l'héroïsme à pousser des soupirs, à être prêt de mourir d'amour.

*   *   *

Les caractères de Racine dont je viens de parler, pour être faux, ne laissent pas de plaire beaucoup, parce que l'amour n'est pas moins général qu'agréable, et que les images de cette passion flattent d'autant plus la tendresse qui est en nous, qu'elles sont plus vives et même plus grossies. Toutefois le public fait mettre le prix à une certaine complaisance amoureuse qu'excite Racine et aux fortes impressions que Corneille mêle à cet intérêt de cœur. Le théâtre n'est jamais si rempli que lorsque l'on joue les pièces de celui-ci. En effet ne prend-on pas un plaisir plus raisonnable à voir dans une même action une femme animée d'une vengeance légitime, qu'elle veut exécuter par son amant; cet amant entraîné par l'amour, mais retenu par la reconnaissance; d'un autre côté le maître du monde, qui délibère avec deux amis de quitter l'Empire et qui apprend un moment après que l'un ne lui a conseillé de le retenir que pour le lui arracher avec la vie; les perplexités où le jette la perfidie de son ami, et celle d'une fille qu'il a élevée; le moyen que lui inspire l'Impératrice, de se mettre à couvert désormais de tout attentat, en pardonnant à ces derniers conjurés, et en les accablant de bienfaits; la peinture d'un affreux Triumvirat, celle d'une ambition assouvie et des embarras du trône — tout cela [3] ne produit-il pas un plaisir plus raisonnable, que les jalousies, les transports, les chagrins, les craintes d'une maîtresse, et de deux fils rivaux de leur père? [4]

Pour faire d'une intrigue amoureuse une tragédie qui attendrisse, il n'est besoin que d'esprit et d'une versification douce et coulante. Mais pour attendrir, ébranler l'âme en même temps et élever le courage, il faut le génie tragique aussi particulier que l'est celui de poète. Je ne veux pas dire que Racine n'ait été que poète et bel esprit. Je reconnais cet autre génie nécessaire dans *Britannicus*, *Iphigénie*, *Phèdre* et *Hyppolite*, et dans *Andromaque* — mais il ne lui était pas si naturel qu'à Corneille. Il revenait toujours à son caractère dominant: ses succès ont trompé des auteurs de ce temps, qui n'ont ni sa délicatesse, ni son art. Ils ont gâté de bons sujets, en y mettant l'amour à toute outrance — par exemple, un roi, qui après dix ans d'absence, revenant dans son royaume, est battu d'une furieuse tempête, promet à Neptune de lui immoler le premier de ses sujets qu'il rencontrera, s'il le sauve du naufrage. Son vœu est exaucé: à quel prix, hélas! Le premier qu'il rencontre c'est son fils, qui vient se jeter dans ses bras. Tandis qu'il ne saurait se résoudre à l'immoler, le Dieu se venge de ce retardement par la mort prompte d'un grand nombre des sujets de ce Roi infortuné, qui ne peut conserver le reste qu'en tuant son propre fils: voilà de quoi faire

---

[3] A résumé of the plot of Corneille's *Cinna*. (RJN)
[4] Racine's *Mithridate*. (RJN)

une belle tragédie. Mais s'il était possible d'ajouter aux malheurs de ce prince, n'ajouterait-on pas à la beauté de l'ouvrage? Voyons donc ce qui peut rendre son sort encore plus digne de compassion. «Il aime.» Quand j'entendis ce Héros, à la Comédie, faire cette belle déclaration à son confident, je lui aurais volontiers répondu tout haut: «Ah! Seigneur, je veux bien que l'amour soit de tous vos maux le plus cruel; c'est ce comble-là même de malheurs qui sèche mes larmes; je cesse de voir en vous un Héros, un Roi, un père misérable; je n'y vois plus qu'un amoureux en cheveux gris.»

*   *   *

Nous disions que Racine a tourné tous ses sujets sur l'amour; par là il a quelquefois rendu les hommes méconnaissables, à plus forte raison les héros. On a beau dire qu'il y en a de plusieurs sortes. Il est, à la vérité, des Horaces furieux pour le bien public, des Curiaces passionnés pour leurs maîtresses et fidèles à leur devoir, quelques plaintes qu'ils fassent de leurs malheurs; mais il n'est point d'Antiochus ni de Bajazets. Je crois avoir prouvé, en parlant d'eux, que Racine n'a pas peint les hommes, même en général, tels qu'ils sont; et dans les endroits où il peint le mieux les passions: combien n'est-il pas inférieur à Corneille qui «semble descendre dans le cœur pour les y voir se former?»

Ce célèbre poète est plein de maximes, de préceptes et d'exemples. Il a traité de grands intérêts, a placé l'amour avec bienséance, ne l'a employé que comme un ornement; au lieu que Racine en a fait son premier objet, ce qui sent plus le roman que la tragédie. Puis donc que Corneille représente ce que sont de grands hommes avec toute la diversité que la nature met dans ses ouvrages; que Racine grossit étrangement les images des passions tendres et qu'il représente quelques héros de roman, c'est-à-dire des hommes imaginaires, je m'étonne que la Bruyère, qui étudiait le cœur humain, ait avancé que le premier suivait ses propres idées et que celui-ci imitait la nature. Je m'en étonne, dis-je, à moins que cet auteur des *Caractères* ne ressemble en quelque sorte à Montaigne, dont on a dit qu'il connaissait bien les petitesses de l'homme, mais qu'il en ignorait les grandeurs.

François-Marie Arouet de Voltaire
1694-1778

CORNEILLE ET RACINE,
INSTITUTEURS DE L'ESPRIT HUMAIN

[CORNEILLE] EST D'AUTANT PLUS ADMIRABLE qu'il n'était environné que de très mauvais modèles quand il commença à donner des tragédies. Ce qui devait encore lui fermer le bon chemin, c'est que ces mauvais modèles étaient estimés; et, pour comble de découragement, ils étaient favorisés par le cardinal de Richelieu, le protecteur des gens de lettres et non pas du bon goût. Il récompensait de misérables écrivains qui d'ordinaire sont rampants; et, par une hauteur d'esprit si bien placée ailleurs, il voulait abaisser ceux en qui il sentait avec quelque dépit un vrai génie, qui rarement se plie à la dépendance. Il est bien rare qu'un homme puissant, quand il est lui-même artiste, protège sincèrement les bons artistes.

Corneille eut à combattre son siècle, ses rivaux, et le cardinal de Richelieu. Je ne répéterai point ici ce qui a été écrit sur *le Cid*. Je remarquerai seulement que l'Académie, dans ses judicieuses décisions

From Le Siècle de Louis XIV. *in* Œuvres complètes de Voltaire, *Louis Moland,* ed., *Vol. XIV (Paris: Editions Garnier Frères, 1877–1885). First published: 1751. Title supplied by RJN.*

entre Corneille et Scudéry, eut trop de complaisance pour le cardinal de Richelieu en condamnant l'amour de Chimène. Aimer le meurtrier de son père, et poursuivre la vengeance de ce meurtre, était une chose admirable. Vaincre son amour eût été un défaut capital dans l'art tragique, qui consiste principalement dans les combats du cœur; mais l'art était inconnu alors à tout le monde, hors à l'auteur.

Le Cid ne fut pas le seul ouvrage de Corneille que le cardinal de Richelieu voulut rabaisser. L'abbé d'Aubignac nous apprend que ce ministre désapprouva Polyeucte.

Le Cid, après tout, était une imitation très embellie de Guillem de Castro, et en plusieurs endroits une traduction. Cinna, qui le suivit, était unique. J'ai connu un ancien domestique de la maison de Condé, qui disait que le grand Condé, à l'âge de vingt ans, étant à la première représentation de Cinna, versa des larmes à ces paroles d'Auguste:

> Je suis maître de moi comme de l'univers;
> Je le suis, je veux l'être. O siècles! ô mémoire!
> Conservez à jamais ma dernière victoire!
> Je triomphe aujourd'hui du plus juste courroux
> De qui le souvenir puisse aller jusqu'à vous:
> Soyons amis, Cinna; c'est moi qui t'en convie.
>
> (V, 3, 1696–1701)

C'étaient là des larmes de héros. Le grand Corneille faisant pleurer le grand Condé d'admiration est une époque bien célèbre dans l'histoire de l'esprit humain.

La quantité de pièces indignes de lui qu'il fit plusieurs années après n'empêcha pas la nation de le regarder comme un grand homme, ainsi que les fautes considérables d'Homère n'ont jamais empêché qu'il ne fût sublime. C'est le privilège du vrai génie, et surtout du génie qui ouvre une carrière, de faire impunément de grandes fautes.

Corneille s'était formé tout seul; mais Louis XIV, Colbert, Sophocle, et Euripide, contribuèrent tous à former Racine. Une ode qu'il composa à l'âge de dix-huit ans, pour le mariage du roi, lui attira un présent qu'il n'attendait pas, et le détermina à la poésie. Sa réputation s'est accrue de jour en jour, et celle des ouvrages de Corneille a un peu diminué. La raison en est que Racine, dans tous ses ouvrages, depuis son Alexandre, est toujours élégant, toujours correct, toujours vrai, qu'il parle au cœur, et que l'autre manque trop souvent à tous ces devoirs. Racine passa de bien loin et les Grecs et Corneille dans l'intelligence des passions, et porta la douce harmonie de la poésie, ainsi que les grâces de la parole, au plus haut point où elles puissent parvenir. Ces hommes enseignèrent à la nation à penser, à sentir, et à s'exprimer. Leurs auditeurs, instruits par eux seuls, devinrent enfin des juges sévères pour ceux mêmes qui les avaient éclairés.

Jean-François de La Harpe

1739-1803

RÉSUMÉ SUR CORNEILLE ET RACINE

CE FUT L'AVANTAGE DE RACINE: né avec cette imagination vive, cette sensibilité tendre, cette flexibilité d'esprit et d'âme, qualités les plus essentielles pour la tragédie, et que n'avait pas Corneille; né avec le sentiment le plus vif et le plus délicat de l'harmonie et de l'élégance, avec la plus heureuse facilité d'élocution, qualités les plus essentielles à toute poésie, et que Corneille n'avait pas non plus, il eut affaire à des juges que Corneille avait instruits pendant trente ans par ses succès et par ses fautes; il écrivit dans un temps où tous les genres de littérature se perfectionnaient, où le goût s'épurait en tout genre; enfin, il eut pour ami et pour censeur l'esprit le plus judicieux et le plus sévère de son siècle, Despréaux.[1] Ainsi la nature et les circonstances avaient tout réuni pour faire de Racine un écrivain parfait; et il le fut.

La marche progressive de son talent prouve ses réflexions et ses efforts, et ce travail continuel sur lui-même, si nécessaire à quiconque

---

From Lycée, ou cours de littérature ancienne et moderne, *Vol. VI* (*Paris: Firmin-Didot et Cie, 1821–1822*). *First published: 1799–1804.*

[1] Nicholas Boileau–Despréaux (1636–1711), better known as Boileau. (RJN)

veut avancer vers la perfection. Les deux premiers essais de sa jeunesse, imitations faibles de Corneille, ne sont que les tributs excusables que devait un auteur de vingt-quatre ans à une renommée qui avait tout effacé. Hors le talent de la versification, rien encore n'annonçait Racine. J'ai reconnu et j'ai dû reconnaître que c'était un de ses avantages d'être venu après Corneille; mais je ne saurais convenir que ce soit le génie du premier qui ait formé le second: le contraire est démontré par les faits . .

*   *   *

. . . Si quelque chose prouve la pente irrésistible d'un génie particulier à Racine, c'est la force qu'il eut de revenir à la vérité et à lui-même, malgré l'exemple de Corneille et le succès d'*Alexandre;* et c'est alors qu'il fit *Andromaque*, et qu'il s'éleva successivement jusqu'à *Iphigénie, Phèdre* et *Athalie.* On voit qu'alors il avait enfin pris le parti de ne plus étudier que la nature et les Grecs; qu'il prit un essor nouveau dans lequel les modernes ne pouvaient lui servir de guides. Alors, pour la première fois, la passion de l'amour fut peinte avec toute son énergie et toutes ses fureurs dans Hermione, Roxane, et Phèdre: et l'éloquence simple et pathétique des Grecs se fit entendre dans les rôles admirables d'Andromaque, de Clytemnestre, et d'Iphigénie. L'étude réfléchie de la langue et des auteurs d'Athènes fut sans doute une source de lumières pour un homme qui avait tant de goût, et qui sentait si vivement cette vérité d'imitation, qui est le principe des beaux-arts; mais ce n'est pas d'eux qu'il apprit à être un si savant peintre de l'amour. Il ne dut qu'à lui-même ce grand ressort dramatique, devenu si puissant dans ses mains, et dont Voltaire s'est emparé depuis avec tant de succès . . .

*   *   *

De cette différence entre notre théâtre et celui des anciens,[2] les amateurs outrés de l'antiquité ont conclu que leur tragédie valait mieux que la nôtre, puisqu'elle était plus sévèrement héroique. Ce dernier point est vrai; mais est-il vrai que nous ayons tort si la nôtre est généralement plus touchante? Y a-t-il trop de moyens d'intéresser au théâtre? et faut-il s'en refuser un dont l'effet est si universel? Nous avons d'autres

---

[2] In spite of Racine's study of the Ancients, his theater, La Harpe has noted, pays more attention to the matter of love. (RJN)

mœurs que les Grecs: pourquoi notre théâtre, qui doit se ressentir de cette différence, n'en aurait-il pas profité? Si Sophocle et Euripide eussent vécu parmi nous, croit-on qu'ils n'eussent pas traité l'amour? croit-on qu'ils eussent rougi d'avoir fait *Andromaque* ou *Zaïre*? De quoi s'agit-il donc en dernier résultat? Ce n'est pas d'exclure l'amour de la tragédie, c'est de l'en rendre digne; c'est de lui donner sur le théâtre les effets tragiques qu'il n'a eus que trop souvent en réalité; c'est de substituer aux froideurs de la galanterie vulgaire toute l'énergie de la passion. Cet art, créé par Racine, et porté encore plus loin par Voltaire, est-il indigne de Melpomène, quand il agrandit son empire et augmente sa puissance? nous met-il au-dessous des anciens quand il nous fournit des beautés qu'ils n'ont pas connues? Si cela pouvait faire une question, on la trancherait bientôt par un principe incontestable: Toute imitation de la nature, qui est vraie en elle-même, intéressante par ses effets, et susceptible de couleurs nobles, est de l'essence des beaux-arts; la peinture de l'amour réunit tous ces caractères; donc elle n'est point étrangère à la tragédie.

*   *   *

On a dit que Corneille avait un esprit plus créateur: l'a-t-on bien prouvé? En s'expliquant sur le mot, on pourra douter du fait. Si l'on veut dire qu'il a tiré la scène française du chaos, et qu'il a fait le premier de très belles choses, on a raison. Mais s'ensuit-il qu'il y ait plus de création dans ses ouvrages que dans ceux de Racine? . . .

*   *   *

. . . Voyons les faits. *Le Cid* et *Héraclius* sont aux Espagnols. La belle scène du cinquième acte de *Cinna* est tout entière dans Sénèque. Il lui reste donc en propre les trois premiers actes des *Horaces, Polyeucte, Pompée, Rodogune* et *Nicomède. Andromaque, Britannicus, Bajazet Mithridate* et *Athalie* sont absolument à Racine. Je ne parle pas de *Bérénice;* ce n'est qu'un ouvrage enchanteur, qui n'est pas une tragédie: mais aussi *Nicomède* est-il une tragédie, ou bien une comédie héroïque? Dans *Phèdre* même, et dans *Iphigénie*, il s'en faut bien que les plus grandes beautés soient prises aux Grecs: ce qu'il y a de plus beau dans *le Cid*, dans *Héraclius* et dans *Cinna*, est d'emprunt. Maintenant, fallait-il un talent plus original, plus inventeur, pour faire *les Horaces* que pour faire *Andromaque,* ou pour *Polyeucte* que pour *Athalie*? Ceux qui trancheraient sur cette question auraient beaucoup de confiance: quant à moi, j'en suis très éloigné; et je me contenterai d'observer la différence de caractère et d'effet qui se trouve entre les productions de ces deux grands hommes.

Je crois voir dans tous les deux la même force de conception; mais l'un, dans ses compositions, a plus consulté la nature de son talent; l'autre, celle de la tragédie. Le premier, naturellement porté au grand, a subordonné l'art à son génie; il l'a établi sur un ressort qu'il maniait supérieurement, l'admiration. L'autre, plus souple et plus flexible, a vu dans la terreur et la pitié les ressorts naturels de la tragédie, et a su y appliquer toutes les ressources de son esprit. Aussi le premier n'a-t-il guère employé la terreur que dans le cinquième acte de *Rodogune,* et la pitié que dans *le Cid* et dans les scènes de Sévère et de Pauline. L'autre, dans toutes ses pièces, a tiré des effets plus ou moins grands de ces deux moyens qu'il n'a jamais négligés: c'est un avantage sans doute. Mais est-il vrai, comme on l'a dit de nos jours, et comme on l'a répété à tout moment dans le commentaire de Racine, que l'admiration soit «toujours froide» et ne soit «jamais un ressort théâtral»? Cette proscription générale et absolue est un abus de mots, une hérésie moderne, fondée, comme toutes les autres, sur des intérêts du moment. Ce n'est pas à Corneille qu'on en voulait; mais on oubliait que cet arrêt, s'il était fondé, serait la condamnation de ses pièces les plus admirées. J'ai promis de combattre cette erreur, et le moment est venu de venger la vérité et Corneille.

Il faut de nouveaux mots pour de nouvelles doctrines: aussi a-t-on créé nouvellement cette appellation très impropre de «genre admiratif»; car il n'en coûte pas plus à certains critiques de faire des «genres» que des mots. D'abord il n'y a point de «genre admiratif»: cela signifierait en français «le genre qui admire,» comme on dit un accent «admiratif,» un ton «admiratif,» un style «admiratif,» ce qui ne veut dire autre chose que le ton, l'accent, le style de l'admiration. Le genre qui l'inspire, et qu'on a voulu désigner par ce terme d'«admiratif,» est donc très mal dénommé: première erreur dans les mots. C'en est une autre dans la chose même, de prétendre faire un genre particulier des pièces qui excitent l'admiration: l'admiration est un sentiment que doit inspirer plus ou moins toute tragédie, puisque toute tragédie tend plus ou moins au sublime, ou de passion, ou de sentiment. Dans quel sens est-il donc vrai que «l'admiration n'est point un ressort théâtral»? C'est quand le personnage qui l'inspire est sans passion, ou sans malheur, ou sans dangers, comme Nicomède dans la pièce de ce nom, comme Pompée et Viriate dans *Sertorius*, comme Othon et la plupart des personnages principaux des mauvaises pièces de Corneille. Mais quand l'admiration tient à un grand effort que l'homme fait sur soi-même, comme le pardon accordé à Cinna, malgré les plus justes motifs de vengeance; comme le patriotisme du vieil Horace, qui l'emporte sur l'amour paternel; comme la conduite de Chimène, qui poursuit par devoir l'époux qu'elle a choisi par inclination; comme Pauline, qui emploie, pour sauver son mari, l'amant qu'elle lui préfère au fond du cœur; quel est alors l'homme insensible, ou plutôt l'homme insensé qui oserait dire que l'admiration que nous éprouvons est «froide,» qu'elle n'est pas «théâtrale»? Comment oserait-on proférer ce blasphème devant la statue du grand Corneille, démentir les larmes du grand Condé, et celles que nous versons tous les jours au cinquième acte de *Cinna*? Telle est pourtant la conséquence de ces opinions erronées: il ne s'agit de rien moins que de condamner les plaisirs les plus purs des âmes bien nées. Mais heureusement la nature et l'expérience réfutent tous ces systèmes exclusifs, toutes ces poétiques d'un jour, que l'on fait pour ses amis ou contre ses ennemis. Le public, sans écouter ces prétendus aristarques, se laisse toujours pénétrer au sentiment de la grandeur et de la générosité, quand il se mêle à l'attendrissement qu'excitent les passions et les sacrifices. Il laisse couler ses larmes, sans songer si ces douces larmes qu'il verse en coûteront d'amères à l'envie.

Je sais que les Grecs n'ont point connu cette espèce de tragique. J'avoue que la pitié qui naît de l'extrême infortune, la terreur qui naît d'un danger pressant, affectent plus fortement notre âme. Mais que s'ensuit-il? Que Corneille a trouvé un ressort dramatique de plus, et, en fondant notre théâtre, a créé un genre qui est à lui: c'est à coup sûr un titre de gloire. Ce genre est inférieur pour l'effet, j'en conviens: on peut douter qu'il le soit pour le mérite. Ne voulons-nous reconnaître qu'une sorte de talent, et n'éprouver au théâtre qu'une sorte de plaisir? Il n'y a jamais trop de l'un et de l'autre. Il faut admettre des degrés dans tout, et ne rejeter rien de ce qui est bon. L'effet des pièces de Corneille est moins touchant, moins profond, moins soutenu, moins déchirant, que celui des pièces de Racine et de Voltaire; mais il est quelquefois plus vif: il arrache moins de larmes, mais il excite plus de transports; car les transports sont proprement l'effet de l'admiration, quand elle vient de l'âme, et non pas seulement de l'esprit; et c'est ce que j'ai toujours observé dans les premiers actes des *Horaces* et dans le dernier de *Cinna:* ces pièces ne serrent pas le cœur; elles élèvent l'âme. Et quel reproche peut-on faire à ceux qui préfèrent même cette impression à toute autre? Assurément aucun. Une impression qui transporte n'est donc pas «froide»; une admiration qui fait pleurer est donc «théâtrale.» — Mais ces transports sont nécessairement passagers, mais ces larmes ne coulent pas longtemps; et l'émotion est continuelle à la représentation d'*Andromaque* et d'*Iphigénie*, et l'on étouffe de sanglots à *Zaïre* ou à *Tancrède*. — Eh bien! préférez, si vous voulez, cette sorte de plaisir, et ne condamnez pas celui des autres. — Mais enfin, lequel des deux genres vaut le mieux? — On pourrait répondre comme Voltaire: celui qui est le mieux traité. Peut-être, au fond, la question serait douteuse, si l'exécution avait été aussi parfaite dans Corneille que dans Racine; mais les nombreux défauts de l'un, et la perfection continue de l'autre, font un grand poids dans la balance. Si Corneille, au lieu de mettre si souvent le raisonnement à la place du sentiment, avait soutenu dans les détails de ses pièces le degré d'émotion dont elles étaient susceptibles, s'il eût travaillé davantage ses vers, peut-être serait-il assez difficile de décider entre le genre de ses sujets et celui des pièces de Racine. Mais l'un refroidit souvent le spectateur après l'avoir transporté, l'autre l'émeut et l'intéresse toujours; l'un s'adresse souvent à l'esprit, l'autre va toujours au cœur; l'un blesse souvent l'oreille et le goût, l'autre flatte sans cesse tous les deux: et comme on ne peut douter que le besoin le plus général des hommes rassemblés au théâtre ne soit celui de l'émotion continuelle, il faut bien en conclure que le genre de tragédie qui satisfait le plus ce besoin est aussi le plus théâtral. Il faut pourtant faire ici une observation essentielle: les hommes, en jugeant les productions de l'art, ne règlent pas toujours exactement leur estime sur leur plaisir, et ce n'est de leur part ni injustice ni ingratitude. Cette disproportion tient au plus ou moins de mérite qu'ils supposent dans ces productions; et cela est si vrai, que bien des gens, en avouant que Racine leur fait plus de plaisir que Corneille, et à la représentation, et à la lecture, ont cependant plus d'estime pour Corneille. Quelle en est la raison? C'est que le genre de ses beautés les frappe davantage, et laisse en eux l'idée d'un homme plus extraordinaire. Telle est la prérogative du sublime, même lorsqu'il est mêlé de beaucoup de défauts; comme il nous enlève à nous-mêmes, il ne nous laisse pas une entière liberté de jugement; et toute autre impression est effacée par celle qu'il produit. Il fait alors à notre amour-propre une sorte d'illusion très flatteuse; il agrandit la nature à nos yeux; il nous agrandit nous-mêmes dans notre pensée et nous porte à croire que celui qui a su nous élever à cette hauteur doit être au-dessus de tous les autres hommes: on se croit grand en admirant la grandeur. Que l'on cherche dans le cœur humain le principe de nos jugements, et il se trouvera que, si le plus grand nombre, en préférant dans le fait les pièces de Racine, préfère cependant Corneille dans l'opinion, cette espèce de contrariété n'est autre chose qu'un combat entre le plaisir et l'amour-propre: l'un a jugé les ouvrages, l'autre a jugé les auteurs; et comme l'amour-propre en nous l'emporte encore sur le plaisir, en dernier résultat la victoire paraît être restée à Corneille.

Je rends compte ici, comme on voit, de l'avis des autres, et non pas du mien, puisque sur cet article j'ai déclaré que je n'en avais pas. Ce qui importe à l'instruction, ce n'est pas de savoir lequel est le plus grand de ces deux poètes, mais lequel des deux a fait de meilleures tragédies, a su le mieux écrire, a mieux connu les principes de la nature et de l'art, a su le mieux parler au cœur et à l'oreille. Voilà ce qui m'a principalement occupé dans l'examen des deux théâtres; et sous ce point de vue le résultat n'est pas douteux: il est entiérement en faveur de Racine . . .

*   *   *

On a donné à Corneille le titre de sublime, et il n'y en a pas de plus mérité. Mais nous avons vu, dans l'analyse du *Traité* de Longin, qu'il y avait plusieurs espèces de sublime. L'auteur des *Horaces* et de *Cinna* est au-dessus de tout dans le sublime des idées et des caractères; l'auteur d'*Andromaque* et de *Phèdre* est fort au-dessus de lui dans le sublime de la passion et des images. Le contraste d'Abner et de Mathan est noble et touchant; mais celui d'Horace et de Curiace est d'un ordre bien supérieur. Il n'existe rien de comparable ni chez les tragiques anciens ni chez les modernes, et ils n'ont point de tableau théâtral plus vigoureuse-ment combiné que celui du cinquième acte de *Rodogune*. Mais aussi ni les uns ni les autres n'ont rien à placer à côté d'*Athalie;* c'est un des poids les plus forts que Racine puisse mettre dans la balance de la postérité. S'il est quelque chose que l'on puisse opposer au sublime du patriotisme républicain du vieil Horace, c'est le sublime moral et religieux dans Joad: l'un vous transporte davantage, l'autre vous pénètre plus. On ne peut entendre qu'avec une sorte de ravissement le grand-prêtre aux pieds de Joas, comme on ne peut écouter le vieil Horace sans enthousiasme; et c'est ici que les deux poètes ont, par différents moyens, rendu si dramatique ce ressort de l'admiration sur lequel j'ai prouvé que des critiques inconsidérés se sont si étrangement mépris. Cette admiration fait couler des larmes dans les deux pièces; et l'on ne peut nier que ce sentiment, qui touche le cœur en élevant l'âme, ne soit un des plus délicieux que l'on puisse éprouver au théâtre, parce qu'alors le spectateur est aussi content de lui que du poète.

Il est glorieux pour les modernes que ce genre de pathétique, qui ne se trouve point chez les tragiques grecs, ait été porté si loin par deux de nos plus grands maîtres. C'est dans tous les deux une véritable création, et une preuve que nous ne devons pas tout aux anciens. L'amour de la liberté et les sentiments religieux sont également naturels à l'homme, et Corneille et Racine en ont tiré les effets les plus puissants. Mais laquelle de ces deux impressions a le plus de pouvoir sur nous? Il me semble que celle des Horaces est plus vive, et celle de Joad plus douce. On est fort heureux d'avoir à choisir; il serait fort difficile de préférer: jouissons et ne faisons pas de nos plaisirs un sujet de guerre.

*   *   *

Je me souviens que ceux de mes compagnons d'études qui montraient le plus d'esprit lisaient Racine avec plaisir, mais admiraient dans Corneille jusqu'aux déclamations qui sont chez lui si fréquentes: j'en ai revu plusieurs depuis qui avaient bien changé d'avis. Mais cette méprise n'est pas seulement celle de la jeunesse; c'est dans tous les temps celle du plus grand nombre: et je dois faire observer ici à ceux qui sont trop exclusivement épris de la grandeur, que c'est, de tous les genres, celui sur lequel il est le plus aisé et le plus commun d'en imposer à la multitude. Il suffit d'aller au théâtre pour s'en convaincre tous les jours. On y applaudit l'enflure et la déclamation à côté du vrai sublime, non seulement dans les pièces de Corneille, que l'on peut croire consacrées par un vieux respect, mais même dans des pièces d'auteurs modernes, dont le nom n'en impose pas. Tout ce qui a un air d'élévation et de force, fût-il faux, outré, déplacé, entraîne communément la foule; et souvent même l'illusion dure longtemps. Souvent, après que les bons juges se sont fait entendre, on continue d'applaudir au théâtre ce qui d'ailleurs n'obtient point d'estime. Pourquoi? C'est qu'au théâtre, on ne

juge point par réflexion: et si les fautes ont de quoi éblouir un moment,
c'est assez . . .

*   *   *

La peinture des mœurs est chez [Racine] plus exacte et plus
soutenue que dans Corneille. La Bruyère, qui, dans le parallèle qu'il a
fait de tous les deux, paraît avoir tenu la balance assez égale, dit en
parlant de celui-ci: «Il y a dans quelques-unes de ses meilleures pièces
des fautes inexcusables contre les mœurs.» Et il indique le même
résultat dans cette phrase qu'on a tant de fois répétée depuis: «L'un
peint les hommes comme ils devraient être; l'autre les peint tels qu'ils
sont.» C'est dire clairement que l'un est un peintre plus fidèle que
l'autre. Mais d'ailleurs, je pense, comme Voltaire, que ce jugement,
qu'on a souvent cité comme une espèce d'axiome, énonce une généralité
beaucoup trop vague et trop susceptible d'équivoque. Si La Bruyère
entend, par un «homme qui est ce qu'il doit être,» celui qui est sans
passions et ne commet point de fautes, ces sortes de personnages sont
admis, il est vrai, dans la tragédie, mais il est rare qu'ils puissent en
fonder l'intérêt. Burrhus, Abner, Acomat, Joad, Auguste et Cornélie,
sont de ce genre. Si l'on entend ceux qui sacrifient leur passion à leur
devoir, Corneille et Racine ont tous deux des personnages de ce
caractère: si dans Pauline et Chimène, dans Séleucus et Antiochus, le
devoir l'emporte sur l'amour, il l'emporte aussi dans Monime et dans
Iphigénie, dans Xipharès et Titus. Voilà pour la morale. Mais, dans la
vérité dramatique, un personnage «est ce qu'il doit être» quand il ne
fait rien que de conforme à ce qu'exigent le caractère qu'on lui a donné,
et la situation où il se trouve; et sous ce point de vue, Racine a
représenté les hommes bien plus fidèlement que Corneille. Si l'on
excepte *Bajazet*, l'un des deux poètes est dans cette partie à l'abri des
reproches que l'on peut souvent faire à l'autre. Cinna ne *doit* point être,
dans les derniers actes, tout différent de ce qu'il a été dans les premiers.
Rodogune, annoncée comme un personnage intéressant, ne *doit* point
demander à deux princes vertueux d'assassiner leur mère. Un héros tel
que Pompée ne *doit* point être assez lâche pour se priver d'une épouse
qu'il aime, par obéissance aux ordres de Sylla. Un vieux chef de parti,
tel que Sertorius, ne *doit* point être un froid soupirant près de Viriate. Il
n'est donc pas vrai qu'en général Corneille ait peint les hommes «tels
qu'ils devraient être.»

August Wilhelm von Schlegel
1767 - 1845

CORNEILLE AND RACINE:
NATIONAL POETS

To SUM UP ALL MY PREVIOUS OBSERVATIONS in a few words: the French have endeavoured to form their tragedy according to a strict idea; but instead of this they have set up merely an abstract notion. They require tragical dignity and grandeur, tragical situations, passions, and pathos, altogether simple and pure, and without any foreign appendages. Stript thus of their proper investiture, they lose much in truth, profundity, and character; and the whole composition is deprived of the living charm of variety, of the magic of picturesque situations, and of all those ravishing effects which a light but preparatory matter, when left to itself, often produces on the mind by its marvellous and spontaneous growth. With respect to the theory of the tragic art, they are yet at the very same point that they were in the art of gardening before the time of Lenôtre. All merit consisted, in their judgment, in extorting a triumph from nature by means of art. They had no other idea of regularity than

From A Course of Lectures on Dramatic Art and Literature, *John Black, trans., rev. according to the last German edition by A. J. W. Morrison (London: Henry G. Bohn, Ltd., 1861). First published: 1809.*

the measured symmetry of straight alleys, clipped edges, etc. Vain
would have been the attempt to make those who laid out such gardens
to comprehend that there could be any plan, any hidden order, in an
English park, and demonstrate to them that a succession of landscapes,
which from their gradation, their alternation, and their opposition, give
effect to each other, did all aim at exciting in us a certain mental
impression.

The rooted and lasting prejudices of a whole nation are seldom
accidental, but are connected with some general want of intrinsic
capacities, from which even the eminent minds who lead the rest are not
exempted. We are not, therefore, to consider such prejudices merely as
causes; we must also consider them at the same time as important
effects. We allow that the narrow system of rules, that a dissecting
criticism of the understanding, has shackled the efforts of the French
tragedians; still, however, it remains doubtful whether of their own
inclination they would ever have made choice of more comprehensive
designs, and, if so, in what way they would have filled them up. The
most distinguished among them have certainly not been deficient in
means and talents. In a particular examination of their different
productions we cannot show them any favour; but, on a general view,
they are more deserving of pity than censure; and when, under such
unfavourable circumstances, they yet produce what is excellent, they
are doubly entitled to our admiration, although we can by no means
admit the justice of the common-place observation, that the overcoming
of difficulty is a source of pleasure, nor find anything meritorious in a
work of art merely because it is artificially composed. As for the claim
which the French advance to set themselves up, in spite of all their
one-sidedness and inadequacy of view, as the lawgivers of taste, it must
be rejected with becoming indignation.

I have briefly noticed all that was necessary to mention of the
antiquities of the French stage. The duties of the poet were gradually
more rigorously laid down, under a belief in the authority of the
ancients, and the infallibility of Aristotle. By their own inclination,
however, the poets were led to the Spanish theatre, as long as the
Dramatic Art in France, under a native education, had not attained its
full maturity. They not only imitated the Spaniards, but, from this mine
of ingenious invention, even borrowed largely and directly. I do not
merely allude to the earlier times under Richelieu; this state of things

continued through the whole of the first half of the age of Louis XIV; and Racine is perhaps the oldest poet who seems to have been altogether unacquainted with the Spaniards, or at least who was in no manner influenced by them. The comedies of Corneille are nearly all taken from Spanish pieces; and of his celebrated works, the *Cid* and *Don Sancho of Aragon* are also Spanish. The only piece of Rotrou which still keeps its place on the theatre, *Wenceslas*, is borrowed from Francisco de Roxas: Molière's unfinished *Princess of Elis* is from Moreto, his *Don Garcia of Navarre* from an unknown author, and the *Festin de Pierre* carries its origin in its front:[1] we have only to look at the works of Thomas Corneille to be at once convinced that, with the exception of a few, they are all Spanish; as also are the earlier labours of Quinault, namely, his comedies and tragi-comedies. The right of drawing without scruple from this source was so universal, that the French imitators, when they borrowed without the least disguise, did not even give themselves the trouble of naming the author of the original, and assigning to the true owner a part of the applause which they might earn. In the *Cid* alone the text of the Spanish poet is frequently cited, and that only because Corneille's claim to originality had been called in question.

We should certainly derive much instruction from a discovery of the prototypes, when they are not among the more celebrated, or already known by their titles, and thereupon instituting a comparison between them and their copies. We must, however, go very differently to work from Voltaire in *Héraclius*, in which, as Garcia de la Huerta[2] has incontestably proved, he displays both great ignorance and studied and disgusting perversions. If the most of these imitations give little pleasure to France in the present day, this decision is noways against the originals, which must always have suffered considerably from the recast. The national characters of the French and Spanish are totally different; and consequently also the spirit of their language and poetry. The most temperate and restrained character belongs to the French; the Spaniard, though in the remotest West, displays, what his history may

---

[1] And betrays at the same time Molière's ignorance of Spanish. For if he had possessed even a tolerable knowledge of it, how could he have translated *El Convidado de Piedra* (the Stone Guest) into the *Stone Feast*, which has no meaning here, and could only be applicable to the Feasts of Midas?

[2] In the introduction to his *Theatro Hespañol*.

easily account for, an Oriental vein, which luxuriates in a profusion of bold images and sallies of wit. When we strip their dramas of these rich and splendid ornaments, when, for the glowing colours of their romance and the musical variations of the rhymed strophes in which they are composed, we compel them to assume the monotony of the Alexandrine, and submit to the fetters of external regularities, while the character and situations are allowed to remain essentially the same, there can no longer be any harmony between the subject and its mode of treatment, and it loses that truth which it may still retain within the domain of fancy.

The charm of the Spanish poetry consists, generally speaking, in the union of a sublime and enthusiastic earnestness of feeling, which peculiarly descends from the North, with the lovely breath of the South, and the dazzling pomp of the East. Corneille possessed an affinity to the Spanish spirit, but only in the first point; he might be taken for a Spaniard educated in Normandy. It is much to be regretted that he had not, after the composition of the *Cid*, employed himself, without depending on foreign models, upon subjects which would have allowed him to follow altogether his feeling for chivalrous honour and fidelity. But on the other hand he took himself to the Roman history; and the severe patriotism of the older, and the ambitious policy of the later Romans, supplied the place of chivalry, and in some measure assumed its garb. It was by no means so much his object to excite our terror and compassion as our admiration for the characters and astonishment at the situations of his heroes. He hardly ever affects us; and is seldom capable of agitating our minds. And here I may indeed observe, that such is his partiality for exciting our wonder and admiration, that, not contented with exacting it for the heroism of virtue, he claims it also for the heroism of vice, by the boldness, strength of soul, presence of mind, and elevation above all human weakness, with which he endows his criminals of both sexes. Nay, often his characters express themselves in the language of ostentatious pride, without our being well able to see what they have to be proud of: they are merely proud of their pride. We cannot often say that we take an interest in them: they either appear, from the great resources which they possess within themselves, to stand in no need of our compassion, or else they are undeserving of it. He has delineated the conflict of passions and motives; but for the most part not immediately as such, but as already metamorphosed into a contest of principles. It is in love that he has been found coldest; and this was because he could not prevail on himself to paint it as an amiable weakness, although he everywhere introduced it, even where most unsuitable, either out of a condescension to the taste of the age or a private inclination for chivalry, where love always appears as the ornament of valour, as the checquered favour waving at the lance, or the elegant ribbon-knot to the sword. Seldom does he paint love as a power which imperceptibly steals upon us, and gains at last an involuntary and irresistible dominion over us; but as an homage freely chosen at first, to the exclusion of duty, but afterwards maintaining its place along with it. This is the case at least in his better pieces; for in his later works love is frequently compelled to give way to ambition; and these two springs of action mutually weaken each other. His females are generally not sufficiently feminine; and the love which they inspire is with them not the last object, but merely a means to something beyond. They drive their lovers into great dangers, and sometimes also to great crimes; and the men too often appear to disadvantage, while they allow themselves to become mere instruments in the hands of women, or to be dispatched by them on heroic errands, as it were, for the sake of winning the prize of love held out to them. Such women as Emilia in *Cinna* and Rodogune, must surely be unsusceptible of love. But if in his principal characters, Corneille, by exaggerating the energetic and underrating the passive part of our nature, has departed from truth; if his heroes display too much volition and too little feeling, he is still much more unnatural in his situations. He has, in defiance of all probability, pointed them in such a way that we might with great propriety give them the name of tragical antitheses, and it becomes almost natural if the personages express themselves in a series of epigrammatical maxims. He is fond of exhibiting perfectly symmetrical oppositions. His eloquence is often admirable from its strength and compression; but it sometimes degenerates into bombast, and exhausts itself in superfluous accumulations. The later Romans, Seneca the philosopher, and Lucan, were considered by him too much in the light of models; and unfortunately he possessed also a vein of Seneca the tragedian. From this wearisome pomp of declamation, a few simple words interspersed here and there, have been often made the subject of extravagant praise.[3] If they stood

---

[3] For instance, the "Qu'il mourût" of the old Horatius (*Horace*, III, 6, 1021); the "Soyons amis, Cinna" (*Cinna*, V, 3, 1701); also the "Moi" of Medea (*Médée*, I, 5, 320) which, we may observe in passing, is borrowed from Seneca.

alone they would certainly be entitled to praise; but they are immediately followed by long harangues which destroy their effect. When the Spartan mother, on delivering the shield to her son, used the well-known words, "This, or on this!" she certainly made no farther addition to them. Corneille was peculiarly well qualified to portray ambition and the lust of power, a passion which stifles all other human feelings, and never properly erects its throne till the mind has become a cold and dreary wilderness. His youth was passed in the last civil wars, and he still saw around him remains of the feudal independence. I will not pretend to decide how much this may have influenced him, but it is undeniable that the sense which he often showed of the great importance of political questions was altogether lost in the following age, and did not make its appearance again before Voltaire. However he, like the rest of the poets of his time, paid his tribute of flattery to Louis the Fourteenth, in verses which are now forgotten.

Racine, who for all but an entire century has been unhesitatingly proclaimed the favourite poet of the French nation, was by no means during his lifetime in so enviable a situation, and, notwithstanding many an instance of brilliant success, could not rest as yet in the pleasing and undisturbed possession of his fame. His merit in giving the last polish to the French language, his unrivalled excellence both of expression and versification, were not then allowed; on the stage he had rivals, of whom some were undeservedly preferred before him. On the one hand, the exclusive admirers of Corneille, with Madame de Sévigné at their head, made a formal party against him; on the other hand, Pradon, a younger candidate for the honours of the Tragic Muse, endeavoured to wrest the victory from him, and actually succeeded, not merely, it would appear, in gaining over the crowd, but the very court itself, notwithstanding the zeal with which he was opposed by Boileau. The chagrin to which this gave rise, unfortunately interrupted his theatrical career at the very period when his mind had reached its full maturity: a mistaken piety afterwards prevented him from resuming his theatrical occupations, and it required all the influence of Madame Maintenon to induce him to employ his talent upon religious subjects for a particular occasion. It is probable that but for this interruption, he would have carried his art still higher: for in the works which we have of him, we trace a gradually advancing improvement. He is a poet in every way worthy of our love: he possessed a delicate susceptibility for all the tenderer emotions, and great sweetness in expressing them. His moderation, which never allowed him to transgress the bounds of propriety, must not be estimated too highly: for he did not possess strength of character in any eminent degree, nay, there are even marks of weakness perceptible in him, which, it is said, he also exhibited in private life. He has also paid his homage to the sugared gallantry of his age, where it merely serves as a show of love to connect together the intrigue; but he has often also succeeded completely in the delineation of a more genuine love, especially in his female characters; and many of his love-scenes breathe a tender voluptuousness, which, from the veil of reserve and modesty thrown over it, steals only the more seductively into the soul. The inconsistencies of unsuccessful passion, the wanderings of a mind diseased, and a prey to irresistible desire, he has portrayed more touchingly and truthfully than any French poet before him, or even perhaps after him. Generally speaking, he was more inclined to the elegiac and the idyllic, than to the heroic. I will not say that he would never have elevated himself to more serious and dignified conceptions than are to be found in his *Britannicus* and *Mithridate;* but here we must distinguish between that which his subject suggested, and what he painted with a peculiar fondness, and wherein he is not so much the dramatic artist as the spokesman of his own feelings. At the same time, it ought not to be forgotten that Racine composed most of his pieces when very young, and that this may possibly have influenced his choice. He seldom disgusts us, like Corneille and Voltaire, with the undisguised repulsiveness of unnecessary crimes; he has, however, often veiled much that in reality is harsh, base, and mean, beneath the forms of politeness and courtesy. I cannot allow the plans of his pieces to be, as the French critics insist, unexceptionable; those which he borrowed from ancient mythology are, in my opinion, the most liable to objection; but still I believe, that with the rules and observations which he took for his guide, he could hardly in most cases have extricated himself from his difficulties more cautiously and with greater propriety than he has actually done. Whatever may be the defects of his productions separately considered, when we compare him with others, and view him in connexion with the French literature in general, we can hardly bestow upon him too high a meed of praise.

Charles-Augustin Sainte-Beuve
1804 - 1869

PIERRE CORNEILLE

DANS CETTE HISTOIRE,[1] aussi bien que dans celle de Molière, M. Taschereau a eu pour but de recueillir et de lier tout ce qui nous est resté de traditions sur la vie de ces illustres auteurs, de fixer la chronologie de leurs pièces, et de raconter les débats dont elles furent l'occasion et le sujet. Il renonce assez volontiers à la prétention littéraire de juger les œuvres, de caractériser le talent, et s'en tient d'ordinaire là-dessus aux conclusions que le temps et le goût ont consacrées. Quand les faits sont clairsemés ou manquent, ce qui arrive quelquefois, il ne s'efforce point d'y suppléer par les suppositions circonspectes et les inductions légitimes d'une critique sagement conjecturale; mais il passe outre, et s'empresse d'arriver à des faits nouveaux: de là chez lui des intervalles et des lacunes que l'esprit du lecteur est involontairement provoqué à

Based on text found in Portraits littéraires, *rev. ed.*, Vol. I (*Paris: Editions Garnier Frères, 1862–1864*). *First published: 1829.*

[1] Jules Taschereau, *Histoire de la vie et des ouvrages de P. Corneille* (Paris: Mesnier, 1829), which was the occasion of this article in *Le Globe*, August 12, 1829. (RJN)

combler. Les vies complètes, poétiques, pittoresques, *vivantes* en un mot, de Corneille et de Molière, restent à faire; mais à M. Taschereau appartient l'honneur solide d'en avoir, avec une scrupuleuse érudition, amassé, préparé, numéroté en quelque sorte les matériaux longtemps épars. Pour nous, dans le petit nombre d'idées que nous essayerons d'avancer sur Corneille, nous confessons devoir beaucoup au travail de son biographe; c'est bien souvent la lecture de son livre qui nous les a suggérées.

L'état général de la littérature au moment où un nouvel auteur y débute, l'éducation particulière qu'a reçue cet auteur, et le génie propre que lui a départi la nature, voilà trois influences qu'il importe de démêler dans son premier chef-d'œuvre pour faire à chacune sa part, et déterminer nettement ce qui revient de droit au pur génie. Or, quand Corneille, né en 1606, parvint à l'âge où la poésie et le théâtre durent commencer à l'occuper, vers 1624, à voir les choses en gros, d'un peu loin, et comme il les vit d'abord du fond de sa province, trois grands noms de poètes, aujourd'hui fort inégalement célèbres, lui apparurent avant tous les autres, savoir: Ronsard, Malherbe et Théophile. Ronsard, mort depuis longtemps, mais encore en possession d'une renommée immense, et représentant la poésie du siècle expiré; Malherbe vivant, mais déjà vieux, ouvrant la poésie du nouveau siècle, et placé à côté de Ronsard par ceux qui ne regardaient pas de si près aux détails des querelles littéraires; Théophile enfin, jeune, aventureux, ardent, et par l'éclat de ses débuts semblant promettre d'égaler ses devanciers dans un prochain avenir. Quant au théâtre, il était occupé depuis vingt ans par un seul homme, Alexandre Hardy, auteur de troupe, qui ne signait même pas ses pièces sur l'affiche, tant il était notoirement le «poète dramatique» par excellence. Sa dictature allait cesser, il est vrai; Théophile, par sa tragédie de *Pyrame et Thisbé*, y avait déjà porté coup; Mairet, Rotrou, Scudéry, étaient près d'arriver à la scène. Mais toutes ces réputations à peine naissantes, qui faisaient l'entretien précieux des ruelles à la mode, cette foule de beaux esprits de second et de troisième ordre, qui fourmillaient autour de Malherbe, au-dessous de Maynard et de Racan, étaient perdus pour le jeune Corneille, qui vivait à Rouen, et de là n'entendait que les grands éclats de la rumeur publique. Ronsard, Malherbe, Théophile et Hardy composaient donc à peu près sa littérature moderne. Elevé d'ailleurs au collège des jésuites, il y avait puisé une connaissance suffisante de l'antiquité; mais les études du barreau, auquel on le destinait, et qui le menèrent jusqu'à sa vingt et unième année, en 1627, durent retarder le développement de ses goûts poétiques. Pourtant il devint amoureux; et, sans admettre ici l'anecdote invraisemblable racontée par Fontenelle, et surtout sa conclusion spirituellement ridicule, que c'est à cet amour qu'on doit le Grand Corneille, il est certain, de l'aveu même de notre auteur, que cette première passion lui donna l'éveil et lui apprit à rimer. Il ne nous semble même pas impossible que quelque circonstance particulière de son aventure l'ait excité à composer *Mélite*, quoiqu'on ait peine à voir quel rôle il y pourrait jouer. L'objet de sa passion était, à ce qu'on rapporte, une demoiselle de Rouen, qui devint madame Du Pont en épousant un maître des comptes de cette ville. Parfaitement belle et spirituelle, connue de Corneille depuis l'enfance, il ne paraît pas qu'elle ait jamais répondu à son amour respectueux autrement que par une indulgente amitié. Elle recevait ses vers, lui en demandait quelquefois; mais le génie croissant du poète se contenait mal dans les madrigaux, les sonnets et les pièces galantes par lesquels il avait commencé. Il s'y trouvait «en prison», et sentait que «pour produire il avait besoin de la clef des champs.» «Cent vers lui coûtaient moins», disait-il, «que deux mots de chanson.» Le théâtre le tentait; les conseils de sa dame contribuèrent sans doute à l'y encourager. Il fit *Mélite*, qu'il envoya au vieux dramaturge Hardy. Celui-ci la trouva «une assez jolie farce», et le jeune avocat de vingt-trois ans partit de Rouen pour Paris, en 1629, pour assister au succès de sa pièce.

Le fait principal de ces premières années de la vie de Corneille est sans contredit sa passion, et le caractère original de l'homme s'y révèle déjà. Simple, candide, embarrassé et timide en paroles; assez gauche, mais fort sincère et respectueux en amour, Corneille adore une femme auprès de laquelle il échoue, et qui, après lui avoir donné quelque espoir, en épouse un autre. Il nous parle lui-même d'un «malheur qui a rompu le cours de leurs affections»; mais le mauvais succès ne l'aigrit pas contre «sa belle inhumaine», comme il l'appelle:

> Je me trouve toujours en état de l'aimer;
> Je me sens tout ému quand je l'entends nommer

. . . .

Et, toute mon amour en elle consommée,
Je ne vois rien d'aimable après l'avoir aimée:
Aussi n'aimé-je rien; et nul objet vainqueur
N'a possédé depuis ma veine ni mon cœur.[2]

Ce n'est que quinze ans après que ce triste et doux souvenir, gardien de sa jeunesse, s'affaiblit assez chez lui pour lui permettre d'épouser une autre femme; et alors il commence une vie bourgeoise et de ménage, dont nul écart ne le distraira au milieu des licences du monde comique auquel il se trouve forcément mêlé. Je ne sais si je m'abuse, mais je crois déjà voir en cette nature sensible, résignée et sobre, une naïveté attendrissante qui me rappelle le bon Ducis et ses amours, une vertueuse gaucherie pleine de droiture et de candeur comme je l'aime dans le vicaire de Wakefield; et je me plais d'autant plus à y voir ou, si l'on veut, à y rêver tout cela, que j'aperçois le génie là-dessous, et qu'il s'agit du Grand Corneille.

Depuis 1629, époque où Corneille vint pour la première fois à Paris, jusqu'en 1636, où il fit représenter *le Cid*, il acheva réellement son éducation littéraire, qui n'avait été qu'ébauchée en province. Il se mit en relation avec les beaux esprits et les poètes du temps, surtout avec ceux de son âge, Mairet, Scudéry, Rotrou: il apprit ce qu'il avait ignoré jusque-là, que Ronsard était un peu passé de mode, et que Malherbe, mort depuis un an, l'avait détrôné dans l'opinion; que Théophile, mort aussi, ne laissait qu'une mémoire équivoque et avait déçu les espérances, que le théâtre s'ennoblissait et s'épurait par les soins du cardinal-duc; que Hardy n'en était plus à beaucoup près l'unique soutien, et qu'à son grand déplaisir une troupe de jeunes rivaux le jugeaient assez lestement et se disputaient son héritage. Corneille apprit surtout qu'il y avait des règles dont il ne s'était pas douté à Rouen, et qui agitaient vivement les cervelles à Paris: de rester durant les cinq actes au même lieu ou d'en sortir, d'être ou de n'être pas dans les vingt-quatre heures, etc. Les savants et les réguliers faisaient à ce sujet la guerre aux déréglés et aux ignorants. Mairet tenait pour; Claveret se déclarait contre: Rotrou s'en souciait peu; Scudéry en discourait emphatiquement. Dans les diverses

---

[2] "Excuse à Ariste," vv. 71–72, 77–80. Marty-Laveaux gives "Mais" for "Et" at the beginning of verse 77 and "plus" for "rien" in verse 79 [*Œuvres de P. Corneille* (Paris: Librairie Hachette, 1862–1868), Vol. X, p. 77]. (RJN)

pièces qu'il composa en cet espace de cinq années, Corneille s'attacha à connaître à fond les habitudes du théâtre et à consulter le goût du public; nous n'essayerons pas de le suivre dans ces tâtonnements. Il fut vite agréé de la ville et de la cour; le cardinal le remarqua et se l'attacha comme un des cinq auteurs; ses camarades le chérissaient et l'exaltaient à l'envi. Mais il contracta en particulier avec Rotrou une de ces amitiés si rares dans les lettres, et que nul esprit de rivalité ne put jamais refroidir. Moins âgé que Corneille, Rotrou l'avait pourtant précédé au théâtre, et, au début, l'avait aidé de quelques conseils. Corneille s'en montra reconnaissant au point de donner à son jeune ami le nom touchant de «père»; et certes s'il nous fallait indiquer, dans cette période de sa vie, le trait le plus caractéristique de son génie et de son âme, nous dirions que ce fut cette amitié tendrement filiale pour l'honnête Rotrou, comme, dans la période précédente, ç'avait été son pur et respectueux amour pour la femme dont nous avons parlé. Il y avait là-dedans, selon nous plus de présage de grandeur sublime que dans *Mélite*, *Clitandre*, *la Veuve*, *la Galerie du Palais*, *la Suivante*, *la Place Royale*, *l'Illusion*, et pour le moins autant que dans *Médée*.

Cependant Corneille faisait de fréquentes excursions à Rouen. Dans l'un de ces voyages, il visita un M. de Châlons, ancien secrétaire des commandements de la reine-mère, qui s'y était retiré dans sa vieillesse. «Monsieur, lui dit le vieillard après les premières félicitations, le genre de comique que vous embrassez ne peut vous procurer qu'une gloire passagère. Vous trouverez dans les Espagnols des sujets qui, traités dans notre goût par des mains comme les vôtres, produiraient de grands effets. Apprenez leur langue, elle est aisée; je m'offre de vous montrer ce que j'en sais, et, jusqu'à ce que vous soyez en état de lire par vous-même, de vous traduire quelques endroits de Guillem de Castro.» Ce fut une bonne fortune pour Corneille que cette rencontre; et dès qu'il eut mis le pied sur cette noble poésie d'Espagne, il s'y sentit à l'aise comme en une patrie. Génie loyal, plein d'honneur et de moralité, marchant la tête haute, il devait se prendre d'une affection soudaine et profonde pour les héros chevaleresques de cette brave nation. Son impétueuse chaleur de cœur, sa sincérité d'enfant, son dévouement inviolable en amitié, sa mélancolique résignation en amour, sa religion du devoir, son caractère tout en dehors, naïvement grave et sentencieux, beau de fierté et de prud'homie, tout le disposait fortement au genre espagnol; il l'embrassa avec ferveur, l'accommoda sans trop s'en rendre compte, au goût de sa nation et de son siècle, et s'y créa une originalité unique au milieu de toutes les imitations banales qu'on en faisait autour de lui. Ici, plus de tâtonnements ni de marche lentement progressive, comme dans ses précédentes comédies. Aveugle et rapide en son instinct, il porte du premier coup la main au sublime, au glorieux, au pathétique, comme à des choses familières, et les produit en un langage superbe et simple que tout le monde comprend, et qui n'appartient qu'à lui. Au sortir de la première représentation du *Cid*, notre théâtre est véritablement fondé; la France possède tout entier le Grand Corneille; et le poète triomphant, qui, à l'exemple de ses héros, parle hautement de lui-même comme il en pense, a droit de s'écrier, sans peur de démenti, aux applaudissements de ses admirateurs et au désespoir de ses envieux:

> Je sais ce que je vaux, et crois ce qu'on m'en dit.
> Pour me faire admirer je ne fais point de ligue:
> J'ai peu de voix pour moi, mais je les ai sans brigue;
> Et mon ambition, pour faire un peu de bruit,
> Ne les va point quêter de réduit en réduit;
> Mon travail, sans appui, monte sur le théâtre;
> Chacun en liberté l'y blâme ou l'idolâtre;
> Là, sans que mes amis prêchent leurs sentiments,
> J'arrache quelquefois des applaudissements;
> Là, content du succès que le mérite donne,
> Par d'illustres avis je n'éblouis personne:
> Je satisfais ensemble et peuple et courtisans,
> Et mes vers en tous lieux sont mes seuls partisans;
> Par leur seule beauté ma plume est estimée;
> Je ne dois qu'à moi seul toute ma renommée,
> Et pense toutefois n'avoir point de rival
>   A qui je fasse tort en le traitant d'égal.
>
>   («Excuse à Ariste,» *36–52*)[3]

---

[3] Il sent bien qu'il va un peu loin et s'en excuse:
    Nous nous aimons un peu, c'est notre faible à tous.
    Le prix que nous valons, qui le sait mieux que nous?
                        («Excuse», *31–32*)
Ceci devient malin; on croirait que c'est du La Fontaine.

L'éclatant succès du *Cid* et l'orgueil bien légitime qu'en ressentit et qu'en témoigna Corneille soulevèrent contre lui tous ses rivaux de la veille et tous les auteurs de tragédies, depuis Claveret jusqu'à Richelieu. Nous n'insisterons pas ici sur les détails de cette querelle, qui est un des endroits les mieux éclaircis de notre histoire littéraire. L'effet que produisit sur le poète ce déchaînement de la critique fut tel qu'on peut le conclure, d'après le caractère de son talent et de son esprit. Corneille, avons-nous dit, était un génie pur, instinctif, aveugle, de propre et libre mouvement, et presque dénué des qualités moyennes qui accompagnent et secondent si efficacement dans le poète le don supérieur et divin. Il n'était ni adroit, ni habile aux détails, avait le jugement peu délicat, le goût peu sûr, le tact assez obtus, et se rendait mal compte de ses procédés d'artiste; il se piquait pourtant d'y entendre finesse, et de ne pas tout dire. Entre son génie et son bon sens, il n'y avait rien on à peu près, et ce bon sens, qui ne manquait ni de subtilité ni de dialectique, devait faire mille efforts, surtout s'il y était provoqué, pour se guinder jusqu'à ce génie, pour l'embrasser, le comprendre et le régenter. Si Corneille était venu plus tôt, avant l'Académie et Richelieu, à la place d'Alexandre Hardy par exemple, sans doute il n'eût été exempt ni de chutes, ni d'écarts, ni de méprises; peut-être même trouverait-on chez lui bien d'autres énormités que celles dont notre goût se révolte en quelques uns de ses plus mauvais passages; mais du moins ses chutes alors eussent été uniquement selon la nature et la pente de son génie; et quand il se serait relevé, quand il aurait entrevu le beau, le grand, le sublime, et s'y serait précipité comme en sa région propre, il n'y eût pas traîné après lui le bagage des règles, mille scrupules lourds et puérils, mille petits empêchements à un plus large et vaste essor. La querelle du *Cid*, en l'arrêtant dès son premier pas, en le forçant de revenir sur lui-même et de confronter son œuvre avec les règles, lui dérangea pour l'avenir cette croissance prolongée et pleine de hasards, cette sorte de végétation sourde et puissante à laquelle la nature semblait l'avoir destiné. Il s'effaroucha, il s'indigna d'abord des chicanes de la critique; mais il réfléchit beaucoup intérieurement aux règles et préceptes qu'on lui imposait, et il finit par s'y accommoder et par y croire. Les dégoûts qui suivirent pour lui le triomphe du *Cid* le ramenèrent à Rouen dans sa famille, d'où il ne sortit de nouveau qu'en 1639, *Horace* et *Cinna* en main. Quitter l'Espagne dès l'instant qu'il y avait mis pied, ne pas pousser plus loin cette glorieuse victoire du *Cid*, et renoncer de gaieté de cœur à tant de héros magnanimes qui lui tendaient les bras, mais tourner à côté et s'attaquer à une *Rome castillane*, sur la foi de Lucain et de Sénèque, ces Espagnols, bourgeois sous Néron, c'était pour Corneille ne pas profiter de tous ses avantages et mal interpréter la voix de son génie au moment où elle venait de parler si clairement. Mais alors la mode ne portait pas moins les esprits vers Rome antique que vers l'Espagne. Outre les galanteries amoureuses et les beaux sentiments de rigueur qu'on prêtait à ces vieux républicains, on avait une occasion, en les produisant sur la scène, d'appliquer les maximes d'Etat et tout ce jargon politique et diplomatique qu'on retrouve dans Balzac, Gabriel Naudé, et auquel Richelieu avait donné cours. Corneille se laissa probablement séduire à ces raisons du moment; l'essentiel, c'est que de son erreur même il sortit des chefs-d'œuvre. Nous ne le suivrons pas dans les divers succès qui marquèrent sa carrière durant ses quinze plus belles années. *Polyeucte, Pompée, le Menteur, Rodogune, Héraclius, Don Sanche* et *Nicomède* en sont les signes durables. Il rentra dans l'imitation espagnole par *le Menteur*, comédie dont il faut admirer bien moins le comique (Corneille n'y entendait rien) que l'*imbroglio*, le mouvement et la fantaisie; il rentra encore dans le génie castillan par *Héraclius*, surtout par *Nicomède* et *Don Sanche*, ces deux admirables créations, uniques sur notre théâtre, et qui, venues en pleine Fronde, et par leur singulier mélange d'héroïsme romanesque et d'ironie familière, soulevaient mille allusions malignes ou généreuses, et arrachaient d'universels applaudissements. Ce fut pourtant peu après ces triomphes, qu'en 1653, affligé du mauvais succès de *Pertharite*, et touché peut-être de sentiments et de remords chrétiens, Corneille résolut de renoncer au théâtre. Il avait quarante-sept ans; il venait de traduire en vers les premiers chapitres de l'*Imitation de Jésus-Christ*, et voulait consacrer désormais son reste de verve à des sujets pieux.

Corneille s'était marié dès 1640; et, malgré ses fréquents voyages à Paris, il vivait habituellement à Rouen en famille. Son frère Thomas et lui avaient épousé les deux sœurs, et logeaient dans deux maisons contiguës. Tous deux soignaient leur mère veuve. Pierre avait six enfants; et comme alors les pièces de théâtre rapportaient plus aux comédiens qu'aux auteurs, et que d'ailleurs il n'était pas sur les lieux pour surveiller ses intérêts, il gagnait à peine de quoi soutenir sa nombreuse famille. Sa nomination à l'Académie Française n'est que de 1647. Il avait promis, avant d'être nommé, de s'arranger de manière à passer à Paris la plus grande partie de l'année; mais il ne paraît pas qu'il l'ait fait. Il ne vint s'établir dans la capitale qu'en 1662, et jusque-là il ne retira guère les avantages que procure aux académiciens l'assiduité aux séances. Les mœurs littéraires du temps ne ressemblaient pas aux nôtres: les auteurs ne se faisaient aucun scruple d'implorer et de recevoir les libéralités des princes et seigneurs. Corneille, en tête d'*Horace*, dit qu'«il a l'honneur d'être à Son Eminence»; c'est ainsi que M. De Ballesdens de l'Académie avait «l'honneur d'être à M. le Chancelier»; c'est ainsi qu'Attale dit à la reine Laodice, en parlant de Nicomède qu'il ne connaît pas: «Cet homme est-il à vous?» Les gentilshommes alors se vantaient d'être les «domestiques» d'un prince ou d'un seigneur. Tout ceci nous mène à expliquer et à excuser dans notre illustre poète ces singulières dedicaces à Richelieu, à Montauron, à Mazarin, à Fouquet, qui ont si mal à propos scandalisé Voltaire, et que M. Taschereau a réduites fort judicieusement à leur véritable valeur. Vers la même époque, en Angleterre, les auteurs n'étaient pas en condition meilleure et on trouve là-dessus de curieux détails dans les *Vies des poètes* par Johnson et les *Mémoires* de Samuel Pepys. Dans la correspondance de Malherbe avec Peiresc, il n'est presque pas une seule lettre où le célèbre lyrique ne se plaigne de recevoir du roi Henri plus de compliments que d'écus. Ces mœurs subsistaient encore du temps de Corneille; et quand même elles auraient commencé à passer d'usage, sa pauvreté et ses charges de famille l'eussent empêché de s'en affranchir. Sans doute il en souffrait par moments, et il déplore lui-même quelque part «ce je ne sais quoi d'abaissement secret», auquel un noble cœur a peine à descendre; mais, chez lui, la nécessité était plus forte que les délicatesses. Disons-le encore: Corneille, hors de son sublime et de son pathétique, avait peu d'adresse et de tact. Il portait dans les relations de la vie quelque chose de gauche et de provincial; son discours de réception à l'Académie, par exemple, est un chef-d'œuvre de mauvais goût, de plate louange et d'emphase commune. Eh bien! il faut juger de la sorte sa dédicace à Montauron, la plus attaquée de toutes, et ridicule même lorsqu'elle parut. Le bon Corneille y manqua de mesure et de convenance; il insista lourdement là où il devait glisser; lui, pareil au fond à ses héros, entier par l'âme, mais brisé par le sort, il se baissa trop cette fois pour saluer, et frappa la terre de son noble front. Qu'y faire? Il y avait en lui, mêlée à

l'inflexible nature du vieil Horace, quelque partie de la nature débon-
naire de Pertharite et de Prusias; lui aussi, il se fût écrié en certains
moments, et sans songer à la plaisanterie:

Ah! ne me brouillez pas avec *le Cardinal!* [4]

On peut en sourire, on doit l'en plaindre; ce serait injure que de l'en
blâmer.

Corneille s'était imaginé, en 1653, qu'il renonçait à la scène. Pure
illusion! Cette retraite, si elle avait été possible, aurait sans doute mieux
valu pour son repos, et peut-être aussi pour sa gloire; mais il n'avait pas
un de ces tempéraments poétiques qui s'imposent à volonté une
continence de quinze ans, comme fit plus tard Racine. Il suffit donc d'un
encouragement et d'une libéralité de Fouquet, pour le rentraîner sur la
scène où il demeura vingt années encore, jusqu'en 1674, déclinant de
jour en jour au milieu de mécomptes sans nombre et de cruelles
amertumes. Avant de dire un mot de sa vieillesse et de sa fin, nous nous
arrêterons pour résumer les principaux traits de son génie et de son
œuvre.

La forme dramatique de Corneille n'a point la liberté de fantaisie
que se sont donnée Lope de Vega et Shakespeare, ni la sévérité
exactement régulière à laquelle Racine s'est assujetti. S'il avait osé, s'il
était venu avant d'Aubignac, Mairet, Chapelain, il se serait, je pense,
fort peu soucié de graduer et d'étager ses actes, de lier ses scènes, de
concentrer ses effets sur un même point de l'espace et de la durée; il
aurait procédé au hasard, brouillant et débrouillant les fils de son
intrigue, changeant de lieu selon sa commodité, s'attardant en chemin,
et poussant devant lui ses personnages pêle-mêle jusqu'au mariage ou à
la mort. Au milieu de cette confusion se seraient détachées çà et là de
belles scènes, d'admirables groupes; car Corneille entend fort bien le
groupe, et, aux moments essentiels, pose fort dramatiquement ses
personnages. Il les balance l'un par l'autre, les dessine vigoureusement
par une parole mâle et brève, les contraste par des reparties tranchées,
et présente à l'œil du spectateur des masses d'une savante structure.
Mais il n'avait pas le génie assez artiste pour étendre au drame entier

---

[4] On the model of: "Ah! ne me brouillez point avec la République" (*Nicomède*,
II, 3, 564). (RJN)

cette configuration concentrique qu'il a réalisée par places; et, d'autre part, sa fantaisie n'était pas assez libre et alerte pour se créer une forme mouvante, diffuse, ondoyante et multiple, mais non moins réelle, non moins belle que l'autre, et comme nous l'admirons dans quelques pièces de Shakespeare, comme les Schlegel l'admirent dans Calderón. Ajoutez à ces imperfections naturelles l'influence d'une poétique superficielle et méticuleuse, dont Corneille s'inquiétait outre mesure, et vous aurez le secret de tout ce qu'il y a de louche, d'indécis et d'incomplétement calculé dans l'ordonnance de ses tragédies.

Ses *Discours* et ses *Examens* nous donnent sur ce sujet mille détails, où se révèlent les coins les plus cachés de l'esprit du Grand Corneille. On y voit combien l'impitoyable unité de lieu le tracasse, combien il lui dirait de grand cœur: «Oh! que vous me gênez!» et avec quel soin il cherche à la réconcilier avec la «bienséance». Il n'y parvient pas toujours: «Pauline vient jusque dans une antichambre pour trouver Sévère dont elle devrait attendre la visite dans son cabinet» [«Examen» de *Polyeucte*]. Pompée semble s'écarter un peu de la prudence d'un général d'armée, lorsque, sur la foi de Sertorius, il vient conférer avec lui jusqu'au sein d'une ville où celui-ci est le maître; «mais il était impossible de garder l'unité de lieu sans lui faire faire cette échappée» [«Au Lecteur», *Sertorius*]. Quand il y avait pourtant nécessité absolue que .l'action se passât en deux lieux différents, voici l'expédient qu'imaginait Corneille pour éluder la règle: «C'était que ces deux lieux n'eussent point besoin de diverses décorations, et qu'aucun des deux ne fût jamais nommé, mais seulement le lieu général où tous les deux sont compris, comme Paris, Rome, Lyon, Constantinople, etc. Cela aiderait à tromper l'auditeur qui, ne voyant rien qui lui marquât la diversité des lieux, ne s'en apercevrait pas, à moins d'une réflexion malicieuse et critique, dont il y a peu qui soient capables, la plupart s'attachant avec chaleur à l'action qu'ils voient représenter.» Il se félicite presque comme un enfant de la complexité d'*Héraclius*, et que «ce poème soit si embarrassé qu'il demande une merveilleuse attention» [«Examen»]. Ce qu'il nous fait surtout remarquer dans *Othon*, «c'est qu'on n'a point encore vu de pièce où il se propose tant de mariages pour n'en conclure aucun» [«Au Lecteur»].

Les personnages de Corneille sont grands, généreux, vaillants, tout en dehors, hauts de tête et nobles de cœur. Nourris la plupart dans une discipline austère, ils ont sans cesse à la bouche des maximes auxquelles ils rangent leur vie; et comme ils ne s'en écartent jamais, on n'a pas de peine à les saisir; un coup d'œil suffit: ce qui est presque le contraire des personnages de Shakespeare et des caractères humains en cette vie. La moralité de ses héros est sans tache: comme pères, comme amants, comme amis ou ennemis, on les admire et on les honore; aux endroits pathétiques, ils ont des accents sublimes qui enlèvent et font pleurer; mais ses rivaux et ses maris ont quelquefois une teinte de ridicule: ainsi don Sanche dans *le Cid*, ainsi Prusias et Pertharite. Ses tyrans et ses marâtres sont tout d'une pièce comme ses héros, méchants d'un bout à l'autre; et encore, à l'aspect d'une belle action, il leur arrive quelquefois de faire volte-face, de se retourner subitement à la vertu: tels Grimoald et Arsinoé. Les hommes de Corneille ont l'esprit formaliste et pointilleux: ils se querellent sur l'étiquette; ils raisonnent longuement et ergotent à haute voix avec eux-mêmes jusque dans leur passion. Il y a du Normand. Auguste, Pompée et autres ont dû étudier la dialectique à Salamanque, et lire Aristote d'après les Arabes. Ses héroïnes, ses «adorables furies», se ressemblent presque toutes: leur amour est subtil, combiné, alambiqué, et sort plus de la tête que du cœur. On sent que Corneille connaissait peu les femmes. Il a pourtant réussi à exprimer dans Chimène et dans Pauline cette vertueuse puissance de sacrifice, que lui-même avait pratiquée en sa jeunesse. Chose singulière! depuis sa rentrée au théâtre en 1659, et dans les pièces nombreuses de sa décadence, *Attila, Bérénice, Pulchérie, Suréna*, Corneille eut la manie de mêler l'amour à tout, comme La Fontaine Platon. Il semblait que les succès de Quinault et de Racine l'entraînassent sur ce terrain, et qu'il voulût en remontrer à ces «doucereux», comme il les appelait. Il avait fini par se figurer qu'il avait été en son temps bien autrement galant et amoureux que ces jeunes perruques blondes, et il ne parlait d'autrefois qu'en hochant la tête comme un vieux berger.

Le style de Corneille est le mérite par où il excelle à mon gré. Voltaire, dans son commentaire, a montré sur ce point comme sur d'autres une souveraine injustice et une assez grande ignorance des vraies origines de notre langue. Il reproche à tout moment à son auteur de n'avoir ni grâce, ni élégance, ni clarté: il mesure, plume en main, la hauteur des métaphores, et quand elles dépassent, il les trouve gigantesques. Il retourne et déguise en prose ses phrases altières et sonores qui vont si bien à l'allure des héros, et il se demande si c'est là écrire et parler «français». Il appelle grossièrement «solécisme» ce qu'il devrait qualifier d'«idiotisme», et qui manque si complétement à la langue étroite, symétrique, écourtée, et «à la française», du XVIIIᵉ siècle. On se souvient des magnifiques vers de «l'Epître à Ariste», dans lesquels Corneille se glorifie lui-même après le triomphe du *Cid*:

> Je sais ce que je vaux, et crois ce qu'on m'en dit.

Voltaire a osé dire de cette belle épître: «Elle paraît écrite entièrement dans le style de Regnier, sans grâce, sans finesse, sans élégance, sans imagination; mais on y voit de la facilité et de la naïveté.» Prusias, en parlant de son fils Nicomède que les victoires ont exalté, s'écrie:

> Il ne veut plus dépendre et croit que ses conquêtes
> Au-dessus de son bras ne laissent point de têtes.
>
> (*II, 1, 375–376*)

Voltaire met en note: «*Des têtes au-dessus des bras*, il n'était plus permis d'écrire ainsi en 1657.» Il serait certes piquant de lire quelques pages de Saint-Simon qu'aurait commentées Voltaire. Pour nous, le style de Corneille nous semble avec ses négligences une des plus grandes manières du siècle qui eut Molière et Bossuet. La touche du poète est rude, sévère et vigoureuse. Je le comparerais volontiers à un statuaire qui, travaillant sur l'argile pour y exprimer d'héroïques portraits, n'emploie d'autre instrument que le pouce, et qui, pétrissant ainsi son œuvre, lui donne un suprême caractère de vie avec mille accidents heurtés qui l'accompagnent et l'achèvent; mais cela est incorrect, cela n'est pas lisse ni «propre», comme on dit. Il y a peu de peinture et de couleur dans le style de Corneille; il est chaud plutôt qu'éclatant; il tourne volontiers à l'abstrait, et l'imagination y cède à la pensée et au raisonnement. Il doit plaire surtout aux hommes d'Etat, aux géomètres, aux militaires, à ceux qui goûtent les styles de Démosthène, de Pascal et de César.

En somme, Corneille, génie pur, incomplet, avec ses hautes parties et ses défauts, me fait l'effet de ces grands arbres, nus, rugueux, tristes et monotones par le tronc, et garnis de rameaux et de sombre verdure seulement à leur sommet. Ils sont forts, puissants, gigantesques, peu touffus; une sève abondante y monte: mais n'en attendez ni abri, ni ombrage, ni fleurs. Ils feuillissent tard, se dépouillent tôt, et vivent longtemps à demi dépouillés. Même après que leur front chauve a livré ses feuilles au vent d'automne, leur nature vivace jette encore par endroits des rameaux perdus et de vertes poussées. Quand ils vont mourir, ils ressemblent par leurs craquements et leurs gémissements à ce tronc chargé d'armures, auquel Lucain a comparé le grand Pompée.

Telle fut la vieillesse du grand Corneille, une de ces vieillesses ruineuses, sillonnées et chenues, qui tombent pièce à pièce et dont le cœur est long à mourir. Il avait mis toute sa vie et toute son âme au théâtre. Hors de là il valait peu: brusque, lourd, taciturne et mélancolique, son grand front ridé ne s'illuminait, son œil terne et voilé n'étincelait, sa voix sèche et sans grâce ne prenait de l'accent, que lorsqu'il parlait du théâtre, et du sien. Il ne savait pas causer, tenait mal son rang dans le monde, et ne voyait guère MM. de La Rochefoucauld et de Retz, et madame de Sévigné que pour leur lire ses pièces. Il devint de plus en plus chagrin et morose avec les ans. Les succès de ses jeunes rivaux l'importunaient; il s'en montrait affligé et noblement jaloux, comme un taureau vaincu ou un vieil athlète. Quand Racine eut parodié par le bouche de *l'Intimé* ce vers du *Cid:*

> Ses rides sur son front ont gravé ses exploits,
>
> $(I, 1, 35)$

Corneille, qui n'entendait pas raillerie, s'écria naïvement: «Ne tient-il donc qu'à un jeune homme de venir ainsi tourner en ridicule les vers des gens?» Une fois il s'adresse à Louis XIV qui a fait représenter à Versailles *Sertorius, Œdipe* et *Rodogune;* il implore la même faveur pour *Othon, Pulchérie, Suréna*, et croit qu'un seul regard du maître les tirerait du tombeau; il se compare au vieux Sophocle accusé de démence et lisant *Œdipe* pour réponse; puis il ajoute:

> Je n'irai pas si loin; et si mes quinze lustres
> Font encor quelque peine aux modernes illustres,
> S'il en est de fâcheux jusqu'à s'en chagriner,
> Je n'aurai pas longtemps à les importuner.
> Quoi que je m'en promette, ils n'en ont rien à craindre:
> C'est le dernier éclat d'un feu prêt à s'éteindre;
> Sur le point d'expirer, il tâche d'éblouir,
> Et ne frappe les yeux que pour s'évanouir.[5]

Une autre fois, il disait à Chevreau: «J'ai pris congé du théâtre, et

---

[5] From "Au Roi" on the occasion of a serial performance of several of Corneille's plays (1676), vv. 31–38 (*Œuvres*, Vol. X, p. 313). (RJN)

ma poésie s'en est allée avec mes dents.» Corneille avait perdu deux de ses enfants, deux fils, et sa pauvreté avait peine à produire les autres. Un retard dans le payement de sa pension le laissa presque en détresse à son lit de mort: on sait la noble conduite de Boileau. Le grand vieillard expira dans la nuit du 30 septembre au 1er octobre 1684, rue d'Argenteuil, où il logeait. Charlotte Corday était arrière-petite-fille d'une des filles de Pierre Corneille.

Charles-Augustin Sainte-Beuve
1804-1869

Racine

CE QU'IL NE FAUT JAMAIS PERDRE DE VUE quand on juge Racine aujourd'hui, c'est la perfection, l'unité et l'harmonie de l'ensemble, ce qui en fait la principale beauté. A prendre les choses isolément et par parties, on se tromperait bientôt; le caractère essentiel échapperait, et l'on prononcerait à côté. Au contraire, à bien sentir cette perfection de l'ensemble, cela devient une lumière générale qui réfléchit sur chaque détail et qui l'éclaire.

Depuis longtemps le détail triomphe; on le brode, on l'amplifie, on le pousse à bout, et l'on se croit bien grand par toutes ces richesses l'une sur l'autre accumulées. Erreur! le bel art ne se comporte pas ainsi; il ne calcule pas de la sorte, et il a son secret plus intérieur. Son trésor ne se compose pas d'innombrables et splendides détails additionnés et qui font tas: en définitive, ces trésors-là sont un peu trop pareils à ceux des rois barbares. J'ai moi-même donné quelque peu d'abord dans l'illusion; en comparant telle tirade de Racine à telle tirade de Hugo, tel couplet

From Port Royal, *5th ed., Vol. VI (Paris: Librairie Hachette, 1888). First published: 1859. Title supplied by R J N.*

des chœurs d'*Athalie* à telle strophe de Lamartine, j'ai cru voir une supériorité de couleur, de trait, de poésie enfin, dans le moderne. Mais comme, en poussant cela un peu plus loin, il en serait résulté que presque le moindre d'entre les modernes, pour peu qu'il eût de ce qu'on appelle imagination, eût été (au moins pour le style poétique) supérieur à Racine pris ainsi en détail, j'ai été effrayé de cette énorme supériorité de richesse que nous avions, et qui sautait si vite aux yeux; cela m'a ramené au seul point de vue qui soit juste pour apprécier l'art de ce grand poète et, en général, toute espèce d'art.

L'unité, la beauté de l'ensemble chez Racine se subordonne tout. Dans les moments même de la plus grande passion, la volonté du poète, sans se laisser apercevoir, dirige, domine, gouverne, modère. Il y a le calme de l'âme supérieure et divine, même au travers et au-dessus de tous les pleurs et de toutes les tendresses.

C'est là un genre de beauté invisible et spirituelle, ignorée des talents qui mettent tout en dehors: même quand ce qu'on met en dehors serait le plus beau et le plus riche du monde, il y a toujours entre cette dernière manière et l'autre la même différence à peu près qu'entre le monde de l'idolâtrie, du paganisme ou, si l'on aime mieux, du panthéisme le plus efflorescent, et le monde accompli tel qu'il existe pour qui le voit avec les yeux d'un Platon ou d'un Fénelon, pour ceux qui croient à la création distincte, qui maintiennent l'homme souverain, et roi avant tout, en tête de son ordre, et (s'y mêlât-il même de l'illusion humaine) au centre de la sphère et de la coupole rayonnante.

Racine est un grand dramatique, et il l'a été naturellement, par vocation. Il a pris la tragédie dans les conditions où elle était alors, et il s'y est développé avec aisance et grandeur, en l'appropriant singulièrement à son propre génie. Mais il y a un tel équilibre dans les facultés de Racine, et il a de si complètes facultés rangées sans tumulte sous sa volonté lumineuse, qu'on se figure aisément qu'une autre quelconque de ses facultés eût donné avec avantage également et gloire, et sans que l'équilibre eût été rompu.

Le cardinal de Retz, en ses Mémoires, a dit de Turenne, le plus parfait de nos héros comme Racine est le plus parfait de nos poètes, et qui a fini par ses plus belles campagnes comme Racine par sa plus grande tragédie: «M. de Turenne a eu, dès sa jeunesse, toutes les bonnes qualités, et il a acquis les grandes d'assez bonne heure. Il ne lui en a manqué aucune, que celles dont il ne s'est pas avisé. Il avait presque toutes les vertus comme naturelles; il n'a jamais eu le brillant d'aucune. On l'a cru plus capable d'être à la tête d'une armée que d'un parti, et je le crois aussi, parce qu'il n'était pas naturellement entreprenant: mais toutefois, qui le sait? Il a toujours eu en tout, comme en son parler, de certaines obscurités qui ne se sont développées que dans les occasions, mais qui ne se sont jamais développées qu'à sa gloire.»

On ne peut dire de Racine comme de Turenne qu'il n'a pas eu le brillant de ses qualités, mais il n'en a pas eu l'étalage ni l'appareil; il n'en a pas eu l'impétueux et le soudain, comme Corneille par exemple l'avait, avec un peu trop de jactance aussi; et il a toujours eu en tout, comme en son parler, non pas de certaines obscurités, mais «de certaines retenues, qui ne se sont développées que dans les occasions et selon les sujets, mais qui ne s'y sont jamais développées qu'à sa gloire.»

Racine est tendre, dit-on, c'est un élégiaque dramatique. Prenez garde! celui qui a fait la scène du troisième acte de *Mithridate* et *Britannicus*, le peintre de Burrhus, est-il gêné à manier la tragédie d'Etat et à tirer le drame sévère du cœur de l'histoire?

Ainsi de tout pour Racine: il serait téméraire de lui nier ce qu'il n'a pas fait, tant il a été accompli sans effort dans tout ce qu'il a fait! Pour moi, je me le figure à merveille dans d'autres genres que la tragédie; par exemple, donnant un poème épique, dans le goût de celui du Tasse; des élégies, comme les belles et sobres méditations premières comme les élégies closes de Lamartine; des satires comme *la Dunciade* de Pope; des épigrammes comme celles de Le Brun; des histoires comme celles — et bien mieux que celles — que Rulhière a tentées; des romans historiques plus aisés que celui de Manzoni; des comédies comme *les Plaideurs* en pouvaient promettre. Des odes il en a fait; des *Petites Lettres* comme Pascal, il en a trop bien commencé. Orateur académique, il l'a été et avec éclat. Et toujours et partout (remarquez!) on aurait le même Racine, avec ses traits nobles, élégants et choisis, recouvrant sa force et sa passion; toujours quelque chose de naturel et de soigné à la fois et d'accompli, toujours l'auteur sans tourment, au niveau et au centre de son genre et de son sujet.

Mais la forme dramatique était celle que son temps lui offrait la plus ouverte et la plus digne de lui; il y entra tout entier, et au troisième pas il y était maître. Il y versa tous ses dons, et il en reçut des ressorts nouveaux dont il s'aida toujours, dont il ne souffrit jamais. En ne sortant pas, un seul instant, de l'originalité distincte qu'il portait et cachait en ses œuvres harmonieuses, en ne cessant jamais de faire ce que lui seul eût pu faire, il marcha toujours, variant ses progrès, diversifiant ses tons, poussant sur tous les points ses qualités même les plus tendres et les plus enchanteresses à une sorte de grandeur, jusqu'à ce qu'il arrivât, après cette adorable suite des Bérénice, des Monime et des Iphigénie, à ce caractère de Phèdre, aussi tendre qu'aucun et le plus passionné, le plus antique et déjà chrétien, le plus attachant à la fois et le plus terrible sous son éclair sacré.

Boileau, certes, assista et servit Racine dans toute cette œuvre d'une façon qui ne se saurait apprécier. Racine, on le voit par ses premières lettres, avec tant de qualités qui, ce semble, auraient pu se suffire à elles-mêmes, était né docile. Il réclamait un juge de ses vers, un Quintilius. Chapelain et Perrault n'avaient pourtant pas sa confiance; il la plaçait volontiers dans son ami l'abbé Le Vasseur, il consultait La Fontaine; mais le juge intègre et sourcilleux, il le sentait bien, n'était pas encore là. Dès qu'il l'eut reconnu dans Boileau, il s'y confia et ne s'en départit plus. Boileau dut hâter dans Racine cette saison d'entière maturité, qui est celle de toutes ses œuvres depuis *Andromaque;* il dut lui apprendre à sacrifier sans pitié le détail trop joli et trop fin à l'effet plus sûr de l'ensemble. Beaucoup de ces jeunes rameaux, de ces tendres et un peu folles guirlandes que nous avons vus courir dans les premiers vers de Racine comme les bras de la vigne grimpante le long des arbres et des murs même du cloître à Port-Royal, furent à jamais retranchés par Boileau. On lui doit, à coup sûr, d'avoir eu plus tôt le Racine parfait, et de l'avoir eu, dans sa perfection même, plus continuellement ferme et plus inaltérable.

Après cela, Racine a-t-il tout gagné avec Boileau? n'a-t-il pas perdu quelque chose qu'il eût atteint peut-être et développé, en se retranchant moins quelques-uns de ses premiers rameaux? On le peut conjecturer, ce me semble, plus qu'on ne le doit regretter. Je dirai donc, non à titre de regret aucunement, mais comme un aperçu de plus à travers la nature poétique de Racine, que s'il avait gardé plus longtemps cette manière un peu plus libre et plus subtile de sentir et d'exprimer que nous lui avons reconnue à l'origine, que si, l'ayant d'abord sans doute par imitation un peu et par convention, il y avait assez persévéré pour se l'approprier par sentiment et pour y diriger les progrès de son tendre et sensible génie, il serait très probablement arrivé à certaines beautés d'un genre différent de celui dont il nous est aujourd'hui un modèle.

Sans entrer dans un développement qui ferait ici hors-d'œuvre, je crois qu'on pourrait établir sans invraisemblance que Boileau a refoulé et réprimé un coin de Pétrarque et de Tasse en Racine, le bel-esprit mêlé au sentiment, persistant dans la poésie et y mettant sa marque.

Racine laissa de bonne heure le premier goût qui l'entraînait sensiblement de ce côté. La beauté grecque plus simple (en attendant la grandeur biblique) triompha de cette beauté italienne moderne plus compliquée et plus subtile. Je le remarque encore une fois sans le regretter: ce genre de beauté, plus voisin de date, était peut-être moins neuf et moins original à importer, et aussi allait moins au grand et pur goût de Louis XIV, droit et sensé, au goût français en un mot, que ce qu'a fait Racine. Remercions-le donc de ce qu'il a sacrifié, puisqu'on ne peut tout avoir, et remercions-en surtout Boileau.

L'œuvre de Racine, comme toutes les belles œuvres, essuya sans doute en naissant bien des mauvais vouloirs et des critiques. Pourtant cette contradiction chétive disparaît de loin dans l'applaudissement universel et dans l'admiration très vite unanime. Le propre de l'œuvre de Racine, en effet, est d'être parfaite, d'une perfection à la fois profonde et évidente. A quelque degré qu'on s'arrête dans l'intelligence de son œuvre, on a l'idée d'une certaine perfection; on ne tombe jamais sur une impression incomplète ou qui offense. Shakespeare a besoin d'être compris tout à fait pour ne jamais choquer et rebuter; Molière lui-même est un peu ainsi. Il y a chez eux des choses qui ne s'expliquent et ne se légitiment qu'au dernier point de vue. Avec Racine, bien qu'il soit vrai que plus on avance et plus on admire, on admire encore quand on ne va pas très avant. Son élévation est tellement graduée et accessible, qu'il y en a pour chacun; à chaque gradin du temple, on peut faire station; même quand on n'a pas toute la vue, on a une vue complète en soi, symétrique et harmonieuse. Son œuvre parfaite se trouve avec ses hauteurs et ses profondeurs, placée au milieu de tout le monde, proportionnément comprise de tous, éclairée par tous les aspects.

Surtout, j'insiste là-dessus, jamais rien qui offense ni même qui étonne; rien d'étrange; sa manière comme sa physionomie est d'une beauté heureuse, ouverte sans être banale, d'une de ces beautés incontestables et qui existent pour tous. Racine et Louis XIV sont, régulièrement parlant, les deux plus beaux visages de cette Cour.

La poésie de Racine est au centre de la poésie française; elle en est le

centre incontesté. En est-elle le centre unique? Ceci devient une autre
question.

Au point de vue du drame, il semble que ce n'en soit plus une; et
tout en révérant le théâtre de Racine, et par cela même qu'on le révère
avec plus de réflexion, en pleine connaissance de cause, on paraît
admettre comme une vérité désormais acquise que, pour exprimer
dramatiquement l'histoire, le cœur et la vie, ce ne serait plus dans ce
cadre juste et trop choisi qu'il les faudrait vouloir replacer. C'est là un
résultat théorique, à peu près admis incontestablement en France; je dis
théorique, car il faut avouer que, s'il est besoin pour l'autoriser d'un seul
beau et grand drame français moderne, jeté dans l'autre moule, on est
encore à l'attendre. Mais, d'un côté, on a Shakespeare; de l'autre, on a
même Schiller, qui marquent les voies.

En convenant donc volontiers aujourd'hui que le théâtre de Racine
n'est pas le centre unique du drame, on se rejette sur son style, et
quelques-uns maintiennent que ce style racinien est et doit rester le
centre essentiel ou même unique de la poésie française. C'est le type et le
modèle auquel ils s'en rapportent invariablement pour juger des bons
vers.

*   *   *

Quand il s'agit de Racine, la critique même doit prendre la forme de
l'éloge. Je dirai donc: Racine représente la perfection du style poétique,
même pour ceux qui n'aiment pas essentiellement la poésie. Là est le
point faible, s'il en est un.

Quoi qu'il en soit, n'admirons-nous pas que sortent également de
Port-Royal, ou que du moins s'y rapportent de si près, Racine et Pascal,
la perfection de la poésie française et la perfection de la prose! Deux
perfections assez différentes pourtant. Pascal, qui a bien moins fait
quant à l'ensemble de l'œuvre, a dans le style quelque chose qui mord
plus, qui *ancre* davantage la pensée. Pascal garde du Montaigne; Racine
n'a plus rien de gaulois. Racine mérite pleinement l'éloge de
Vauvenargues: «Personne n'éleva plus haut la parole et n'y versa plus
de douceur.» Il a la perfection de la langue douce, élégante, régulière et
noble, qu'on parlait sous Louis XIV. Il y mêle toute la poésie,
proprement dite, que ce grand monde pouvait porter; il n'en met pas
trop; il prend garde à tout; il pense à tout; il ne s'oublie ni ne se dément

jamais: Racine a bien de l'esprit. Virgile, premier-né de la même famille, lui reste supérieur comme peintre; presque chaque vers de Virgile est un tableau. Il est vrai que Virgile avait surtout à faire des récits et des tableaux, dans son genre descriptif ou épique de poésie; et il était, de plus, bien autrement servi par une langue forte de nerf et de couleur.

J'ai voulu dire tout ceci, en quoi il entre quelque réserve, avant de parler du Racine des derniers temps, et de cette *Athalie*, après laquelle il n'y a plus qu'à s'incliner dans le plus religieux silence.

Racine venait de donner *Phèdre* (1677), et il n'était pas encore réconcilié avec Port-Royal. Il en avait soif pourtant; il était rebuté de son métier d'auteur dramatique, et, malgré sa gloire, il avait quelque raison de l'être. Les représentations de sa *Phèdre*, à laquelle la pièce de Pradon faisait concurrence, avaient été de véritables orages. Des sonnets injurieux coururent. Le sonnet par lequel Racine, en compagnie de Despréaux, répondit à celui de madame Des Houlières, qu'il supposait être du duc de Nevers, fut si piquant et si offensant pour ce duc et pour sa sœur Hortense, que les deux poètes eurent à craindre un moment pour leur personne. Le duc de Nevers, attaqué à tort par eux, eut le tort, à son tour, de les menacer. M. le Duc, fils du grand Condé, les prit sous sa protection et leur offrit l'hôtel de Condé pour asile: «Si vous êtes innocents, venez-y; et si vous êtes coupables, venez-y encore.» Cela est partout. *Phèdre* resta victorieuse. Boileau consacra et, on peut dire, *chanta* le triomphe par sa merveilleuse Epître; mais Racine, atteint au cœur, effrayé de ces cabales, rendu par le dégoût et par la jeunesse déclinante aux repentirs et aux scrupules chrétiens, ayant donné d'ailleurs comme talent la plus grande abondance de ses fruits, Racine n'aspirait plus qu'à la retraite, au pardon des maîtres qu'il avait offensés, et à la paix de Dieu. Il ne pensait à rien moins, dans l'excès du premier retour, qu'à se faire chartreux; mais son confesseur, bon homme et sensé, lui conseilla plutôt quelque honnête mariage bourgeois et chrétien.

Cela fait, et devenu un homme rangé, de mœurs exemplaires, son premier soin fut de se réconcilier avec Port-Royal. Toute sa déviation, toutes ses erreurs, selon les vues nouvelles dont s'illuminait son esprit, venaient de sa rupture avec ces Messieurs. Il ne lui fut pas difficile de se réconcilier d'abord avec Nicole, le plus directement offensé: Nicole, qui ne savait ce que c'était que guerre et rancune, le reçut à bras ouverts, quand il le vit arriver en compagnie de l'abbé Du Pin. Arnauld était moins traitable; les plaisanteries sur la mère Angélique lui tenaient au cœur. Boileau avait plus d'une fois entamé la négociation auprès de lui et avait échoué. Un jour cependant qu'il lui portait un exemplaire de *Phèdre* de la part de l'auteur, il se dit qu'il fallait livrer la grande bataille, et soutenir résolûment qu'il est telle tragédie qui peut être innocente aux yeux même des casuistes les plus sévères. Arrivé chez Arnauld au faubourg Saint-Jacques, et y trouvant assez nombreuse compagnie de théologiens, il mit la question sur le tapis; il commença par lire le passage de l'Avertissement, où l'auteur marque expressément son désir «de réconcilier la tragédie avec quantité de personnes célèbres par leur piété et par leur doctrine, qui l'ont condamnée dans ces derniers temps;» et il développa cette thèse, en l'appliquant à *Phèdre*, avec le feu et la verve qu'on lui connaît et qu'il portait agréablement dans ces sortes de scènes. L'auditoire paraissait assez peu convaincu, lorsque Arnauld, après avoir tout écouté, rendit cette sentence: «Si les choses sont comme il le dit, il a raison, et la tragédie est innocente.» Et quelques jours après, ayant lu la pièce, il y fit une seule objection: «Cela est parfaitement beau; mais pourquoi a-t-il fait Hippolyte amoureux?» Boileau là-dessus n'avait plus qu'à amener Racine en personne chez Arnauld: le poète était déjà pardonné. En entrant dans la chambre où il y avait du monde et où il n'était pas attendu, Racine se jeta aux pieds d'Arnauld, qui, en retour et tout confus, se jeta lui-même à ses pieds: tous deux en cette posture s'embrassèrent. — Racine pénitent, aux pieds du grand Arnauld; Arnauld humilié, à genoux devant Racine! lequel des deux fut le plus grand dans ce moment? C'est une question que nos historiens jansénistes se sont posée; et nous-même, tout en souriant en notre qualité de profane, nous nous la posons aussi, avec le sentiment de respect qu'inspire à tout cœur honnête ce bon et naïf mouvement de deux grands cœurs.

En ce qui était de *Phèdre* en particulier, Arnauld et Boileau avaient tous deux raison. L'expression de l'antique Fatalité dans cette pièce se rapproche déjà bien sensiblement, en effet, de celle qu'admet un rigoureux Christianisme. La faiblesse et l'entraînement de notre misérable nature n'ont jamais été plus mis à nu. «Il y a déjà, si on l'ose dire, un commencement de vérité religieuse dans une vérité humaine si profondément révélée, si vivement arrachée de ses ténèbres mytho-logiques.» La doctrine de la Grâce se sent toute voisine de là; notre volonté même et nos conseils sont à la merci de Dieu; nous sommes libres, nous le sentons, et nous croyons l'être, et pourtant il y a nombre de cas où nous sommes poussés: terrible mystère! Phèdre, avec sa *douleur vertueuse*, pourrait être ajoutée dans le traité du *Libre Arbitre* de Bossuet comme preuve que souvent on agit contre son désir, qu'on désire contre sa volonté, qu'on veut malgré soi:

> Que dis-je? cet aveu que je te viens de faire,
> Cet aveu si honteux, le crois-tu volontaire?
>
> (*II, 4, 693–694*)

C'est cet ordre de raisons que Boileau dut développer, ou à peu près. — «Mais pourquoi a-t-il fait Hippolyte amoureux sans nécessité?» répondait Arnauld. Et c'est aussi ce que doit dire le goût bien plus encore que la morale. L'amour d'Hippolyte, cette concession au public galant, la froideur d'Aricie, l'inutilité de ce grand récit de Théramène, ces défauts dans *Phèdre*, mêlés aux beautés, réservent la palme sans égale à *Athalie*.

A peine réconcilié avec Port-Royal, Racine y alla souvent, le plus souvent qu'il put, dans sa vie encore attachée à Versailles; car en se convertissant, en renonçant même aux vers, il ne renonçait pas à Louis XIV. L'amour de Louis XIV, dans l'âme de Racine, a comme hérité de ses autres passions profanes, de la passion pour le théâtre et de celle pour les Champmeslé. Louis XIV reste son culte humain, le seul qu'il croie légitime désormais. Louis XIV et Port-Royal, voilà les deux grands derniers mobiles de l'âme de Racine, les deux personnages rivaux en lutte dans ce cœur qui les voudrait concilier, et qu'ils mettent au partage. Il se joue vraiment entre eux une tragédie secrète en lui. S'il faut absolument se décider et choisir, il n'hésitera pas sans doute, ce sera Port-Royal, c'est-à-dire Dieu, qu'il préférera; mais il mourra de perdre l'autre.

A partir de sa conversion, nous retrouvons — nous avons retrouvé Racine présent à Port-Royal dans plusieurs circonstances. Nous l'avons vu qui était en prière dans l'église à neuf heures du matin, lorsque l'archevêque M. de Harlai y arrivait, le 17 mai 1679, pour signifier la reprise des rigueurs. Depuis lors, en mainte occasion, et surtout depuis que sa tante fut devenue abbesse au commencement de l'année 1690, Racine s'employa activement aux négociations auprès de l'archevêque, qu'il recontrait sans cesse à Versailles. A chaque changement de confesseur, il était en jeu pour obtenir l'un plutôt que l'autre. Il était l'agent, le chargé d'affaires, le solliciteur de Port-Royal auprès des puissances, jusqu'à ne pas craindre d'être importun. Quand vint M. de Noailles, un archevêque ami, un allié de madame de Maintenon, Racine n'en fut que plus en mouvement auprès de lui, et avec de meilleures chances de succès qu'auprès de son prédécesseur. Quoi qu'on en ait dit, il ne se cachait pas de Port-Royal à la Cour; il y allait très-souvent, le disait tout haut chez madame de Maintenon, et il n'en fut jamais repris.

S'étant ainsi mis en règle avec sa conscience, avec Port-Royal et avec Dieu, Racine ne comptait plus faire de vers. La tentation et l'entraînement avaient été de ce côté; l'expiation devait y être. Nommé historiographe avec Boileau, précisément en 1677, il avait regardé (nous dit son fils) ce choix du roi qui tombait si juste, comme un coup du Ciel. Il s'occupait de ses nouvelles fonctions, c'est-à-dire de rassembler les grandes actions du roi, et ne se doutait pas qu'il y avait là quelques écueils aussi pour la vérité. Dans son Discours prononcé à l'Académie lors de la réception de Thomas Corneille et de M. Bergeret en janvier 1685, Discours bien ingénieusement éloquent et fort applaudi, après l'allusion célèbre au *cercle de Popilius* dans lequel Louis XIV enferma ses ennemis, il terminait sans scrupule par ces paroles vraiment fabuleuses: «Heureux ceux qui, comme vous, Monsieur, ont l'honneur d'approcher de près ce grand Prince, et qui après l'avoir contemplé, avec le reste du monde, dans ces importantes occasions où il fait le destin de toute la terre, peuvent encore le contempler dans son particulier, et l'étudier dans les moindres actions de sa vie, non moins grand, non moins héros, non moins admirable, plein d'équité, plein d'humanité, toujours tranquille, toujours maître de lui, sans inégalité, sans faiblesse, et enfin le plus sage et le plus parfait de tous les hommes!» Louis XIV, ayant voulu entendre ce Discours de la bouche de Racine, paraît lui-même avoir rougi un peu; il lui dit: «Je vous louerais davantage, si vous m'aviez moins loué.» Et Arnauld à qui Racine avait envoyé un exemplaire, Arnauld, tout féal et ardent qu'il était pour «son roi», écrivait à l'auteur, en le remerciant: «Rien n'est assurément si éloquent, et le héros que vous y louez est d'autant plus digne de vos louanges qu'il y a, dit-on, trouvé de l'excès.» Racine converti semblait n'avoir renversé toutes ses chères idoles que pour mieux exhausser celle-là; il en porta bien cruellement la peine.

Je ne compte pas une Cantate ou Idylle sur la Paix, en 1685, laquelle, dans sa froideur, ne se distingue que par l'élégance et l'harmonie. Il dut revoir ou refaire, vers le même temps, ses traductions des Hymnes en vers français, que M. Le Tourneux mit dans ce Bréviaire condamné. Mais vers 1688, madame de Maintenon, c'est-à-dire encore Louis XIV, vint tout remuer dans l'âme de Racine. Elle avait fait représenter *Andromaque* par les jeunes filles de Saint-Cyr, et après la représentation elle écrivit à Racine: «Nos petites filles viennent de jouer votre *Andromaque*, et l'ont si bien jouée qu'elles ne la joueront de leur vie, ni aucune autre de vos pièces.» Elle le priait dans cette même lettre, nous dit madame de Caylus, «de lui faire, dans ses moments de loisir, quelque espèce de poème, moral ou historique, dont l'amour fût entièrement banni, et dans lequel il ne crût pas que sa réputation fût intéressée, parce que la pièce resterait ensevelie à Saint-Cyr, ajoutant qu'il lui importait peu que cet ouvrage fût contre les règles, pourvu qu'il contribuât aux vues qu'elle avait de divertir les demoiselles de Saint-Cyr en les instruisant. Cette lettre jeta Racine dans une grande agitation. Il voulait plaire à madame de Maintenon; le refus était impossible à un courtisan, et la commission délicate pour un homme qui, comme lui, avait une grande réputation à soutenir, et qui, s'il avait renoncé à travailler pour les comédiens, ne voulait pas du moins détruire l'opinion que ses ouvrages avaient donnée de lui. Despréaux, qu'il alla consulter, décida brusquement pour la négative: ce n'était pas le compte de Racine. Enfin, après un peu de réflexion, il trouva dans le sujet d'*Esther* tout ce qu'il fallait pour plaire à la Cour. Despréaux lui-même en fut enchanté, et l'exhorta à travailler, avec autant de zèle qu'il en avait eu pour l'en détourner.»

Esther fut jouée à Saint-Cyr l'année suivante (janvier et février 1689); le succès en fut prodigieux: «On y porta,» dit madame de La Fayette, alors brouillée avec madame de Maintenon, et ici médiocrement favorable à Racine, «on y porta un degré de chaleur qui ne se comprend pas; car il n'y eut ni petit ni grand qui n'y voulût aller; et ce qui devait être regardé comme une comédie de couvent devint l'affaire la plus sérieuse de la Cour. Les ministres, pour faire leur cour en allant à cette comédie, quittaient leurs affaires les plus pressées. A la première représentation où fut le roi, il n'y mena que les principaux officiers qui le suivent quand il va à la chasse. La seconde fut consacrée aux personnes pieuses, telles que le Père de La Chaise, et douze ou quinze jésuites, auxquels se joignit madame de Miramion, et beaucoup d'autres dévots et dévotes; ensuite elle se répandit aux courtisans. Le roi crut que ce divertissement serait du goût du roi d'Angleterre; il l'y mena, et la reine aussi. Il est impossible de ne point donner des louanges à la maison de Saint-Cyr et à l'établissement: aussi ils ne s'y épargnèrent pas, et y mêlèrent celles de la comédie.»

Esther en effet remplissait juste l'objet, ne le dépassait en rien, et par son charme, sa modestie, sa mélodie, par ce rapport si convenant de l'action et des personnages, des sentiments et de la diction, devait ravir grands et petits, tendres et austères. Arnauld n'en fut pas moins enlevé que le Père de La Chaise; et plus tard, quand parut *Athalie* qu'il admirait, mais un peu moins, il écrivait: «Pour moi, je vous dirai franchement que les charmes de la cadette n'ont pu m'empêcher de donner la préférence à l'aînée.» La cadette, c'est-à-dire *Athalie;* on a besoin d'un moment de réflexion; on ne se figure pas d'abord qu'*Athalie* soit la *cadette* de personne, tant elle participe à l'esprit de l'Eternel.

Pourtant on conçoit ce triomphe facile et universel de l'aimable *Esther*, de cette enchanteresse idylle biblique, comme on l'a appelée. Chacun y trouvait tableau et miroir à la fois, miroir à des reflets d'allusions rapides, passagères, et la netteté du tableau biblique n'y perdait rien; il en restait pur lui-même. Si madame de Maintenon, d'abord, sentait rejaillir sur elle ces louanges qui lui revenaient pour les «jeunes et tendres fleurs» de Saint-Cyr:

> Je mets à les former mon étude et mes soins;
> Et c'est là que, fuyant l'orgueil du diadème,
> Lasse de vains honneurs et me cherchant moi-même,
> Aux pieds de l'Eternel je viens m'humilier,
> Et goûter le plaisir de me faire oublier.
>
> *(I, 1, 106–110)*

et ces autres louanges dans la bouche du roi s'adressant à sa compagne:

> Je ne trouve qu'en vous je ne sais quelle grâce
> Qui me charme toujours et jamais ne me lasse.
> De l'aimable vertu doux et puissants attraits!
>
> *(II, 7, 669–671)*
>
> . . . .
>
> Oui, vos moindres discours ont des grâces secrètes.
>
> *(III, 4, 1016)*

si ce mot délicat d'Assuérus: «Suis-je pas votre frère?» (II, 7, 637) ex-
primait et voilait en même temps ce que le terme d'*époux* aurait eu de
trop déclaré, l'*altière* Vasthi avait ses applications non moins frappantes
vers madame de Montespan; Aman (que Racine le voulût ou non) avait
des éclairs de ressemblance avec Louvois. On rapprochait de quelques
paroles échappées, disait-on, à l'orgueilleux ministre ces vers proférés
par l'insolent favori:

> Il sait qu'il me doit tout, et que pour sa grandeur,
> J'ai foulé sous les pieds remords, crainte, pudeur;
> Qu'avec un cœur d'airain exerçant sa puissance,
> J'ai fait taire les lois et gémir l'innocence;
> Que pour lui, des Persans bravant l'aversion,
> J'ai chéri, j'ai cherché la malédiction.
>
> (*III, 1, 866–871*)

Cette *Esther*, qui a «puisé ses jours» à une source réputée impure, dans la
race proscrite par Aman, rappelait par ce côté encore la sœur des
nouveaux convertis, l'orpheline des prisons de Niort; l'allusion, il est
vrai, ne se suivait pas, puisque les Calvinistes étaient censés à bon droit
persécutés. A la rigueur cependant, un tolérant (s'il y en avait eu alors à
la Cour) pouvait songer qu'il y avait sous ces voiles un conseil de
clémence. Un gallican, plus à coup sûr un membre du Clergé et qui avait
été de l'Assemblée de 1682, pouvait sourire, sans se croire moins bon
catholique, à ces «ténèbres jetées sur les yeux les plus saints», dont
parlait la Piété dans le Prologue. Madame de Grammont, ou telle autre
amie de Port-Royal pouvait applaudir dans son cœur à ces vers dirigés
contre la prévention des rois qu'on trompe:

> L'insolent devant moi ne se courba jamais.
>
> (*II, 1, 424*)
>
> . . . .
>
> Mardochée est coupable; et que faut-il de plus?
> Je prévins donc contre eux l'esprit d'Assuérus:
> J'inventai des couleurs; j'armai la calomnie,
> J'intéressai sa gloire; il trembla pour sa vie.
> Je les peignis puissants, riches, séditieux;
> Leur Dieu même ennemi de tous les autres dieux.
>
> (*II, 1, 491–496*)

Mardochée l'inflexible, et qui «ne se courba jamais», n'avait-il rien du grand Arnauld? Aman devenait aisément l'hypocrite même et l'homicide dénoncé par Pascal.

Elle encore, madame de Grammont, et d'autres anciennes élèves de Port-Royal là présentes, s'il y en avait, devaient naturellement pleurer à ces renaissantes images d'une éducation pieuse et aux délicieuses plaintes de ces filles de Sion plus persécutées, ce semble, qu'il ne convenait dans la bouche des demoiselles de Saint-Cyr; elles devaient se dire tout bas: «Ceci est pour nous, plutôt que pour elles.» Et elles se disaient, sans crainte de se tromper: «Il a pensé à nous, à ce Port-Royal aujourd'hui si veuf, si peuplé et si refleuri autrefois aux années heureuses, quand il a dit:

> Ton Dieu n'est plus irrité.
> Réjouis-toi, Sion, et sors de la poussière;
> Quitte les vêtements de ta captivité,
> Et reprends ta splendeur première.

> Les chemins de Sion à la fin sont ouverts.
> Rompez vos fers,
> Tribus captives;
> Troupes fugitives, etc.»
>   (*III*, *9*, *1236–1243*)

Tableau et souhait à double fin, à double entente! et elles l'entendaient. — Dès le second vers du Prologue, la Grâce était expressément invoquée:

> Du séjour bienheureux de la Divinité
> Je descends dans ce lieu, par la Grâce habité.

Nous-même, il nous est difficile de n'y pas voir une arrière-pensée triste et tendre, un chaste retour de l'âme, du poète aux impressions de sa propre enfance. Quoi! les deux premiers vers, par lesquels il signale sa rentrée dans une poésie désormais sacrée, s'appliquent à Port-Royal encore plus exactement qu'à Saint-Cyr, à Port-Royal ce «séjour de la Grâce» par excellence: croirons-nous que Racine ne l'a pas voulu; qu'il n'a pas eu, dès les premiers mots, sa commémoration secrète, comme si son œuvre en devait être plus bénie? En prêtant bien l'oreille, à travers ce mélodieux parler des personnages, derrière cette douce nuée du chant virginal qui monte, il me semble, à chaque pas, que j'entends les sources profondes de Port-Royal bruire sous terre, sous le gazon, et la *Source* sacrée de la mère Angélique, qui arrose tout bas et vivifie ces jardins d'*Esther:*

> Tel qu'un ruisseau docile
> Obéit à la main qui détourne son cours,
> Et laissant de ses eaux partager le secours,
> Va rendre tout un champ fertile,
> Dieu, de nos volontés arbitre souverain,
> Le cœur des rois est ainsi dans ta main.

(II, 8, 729–734)

Ainsi, pareille à ce ruisseau qu'on entend plutôt encore qu'on ne le voit, s'insinuait la chère pensée de l'auteur implorant de Dieu, dans son timide murmure, qu'il la laissât filtrer jusqu'à l'âme du roi. Et n'est-ce point à lui-même, à son innocente enfance, à son cœur si ingrat et pourtant si pardonné, qu'il songeait surtout dans ces vers reconnaissants du dernier chœur:

UNE AUTRE [ISRAÉLITE]

> Que le Seigneur est bon que son joug est aimable!
> Heureux qui dès l'enfance en connaît la douceur!
> Jeune peuple, courez à ce maître adorable.
> Les biens les plus charmants n'ont rien de comparable
> Aux torrents de plaisir qu'il répand dans un cœur.
> Que le Seigneur est bon que son joug est aimable!
> Heureux qui dès l'enfance en connaît la douceur!

UNE AUTRE

> Il s'apaise, il pardonne;
> Du cœur ingrat qui l'abandonne
> Il attend le retour.
> Il excuse notre faiblesse;
> A nous chercher même il s'empresse.
> Pour l'enfant qu'elle a mis au jour
> Une mère a moins de tendresse.
> Ah! qui peut avec lui partager notre amour?

(III, 9, 1265–1279)

Pour bien comprendre les origines d'*Esther*, il faut, comme nous avons fait, avoir suivi Racine enfant dans les bois, dans les prairies et le long de l'étang du monastère, lui avoir entendu moduler ses premiers tendres accents, l'avoir vu passer des rêves trop émus pour Chariclée à l'essai déjà pénitent des chants traduits de *Matines* et de *Laudes*. *Esther* est comme une aube nouvelle qui rejoint la première; c'est dans cette âme élue l'aube véritable et pleine, le matin retrouvé du jour que rien n'y obscurcira. Le poète l'a conçue dans cette sainte ivresse qu'il a si bien dépeinte,

Ivres de ton esprit, sobres pour tout le reste,[1]

sous ce pur rayon qu'il a montré au front des combattants du Christ:

Que la pudeur chaste et vermeille
Imite sur leur front la rougeur du matin;
Aux clartés du midi que leur foi soit pareille;
Que leur persévérance ignore le déclin.

Ce qui fait d'*Esther* le plus accompli chef-d'œuvre dans l'ordre des choses gracieuses, tendres et pures, c'est tout cela ensemble, c'est l'union de tant de nuances diverses dans la nuance principale d'une virginale simplicité, c'est la décence prise au sens le plus exquis du mot, la ravissante convenance.

Le succès d'*Esther* mit Racine en goût: il songea à un autre sujet tiré de l'Ecriture et conçu dans des proportions plus hautes; il composa cette année même (1689–1690) *Athalie*. Mais la fortune en fut très-différente. On fit parvenir dans l'intervalle tant d'avis, de remontrances, même anonymes, à madame de Maintenon sur ce genre de spectacle, sur l'inconvénient d'exposer ainsi des jeunes filles sur un théâtre aux yeux de la Cour (et il y avait bien quelque chose de vrai à cela), et puis les envieux, les faux austères, tous ces vengeurs secrets d'Aman agirent si bien, qu'*Athalie* ne put jamais être représentée à Saint-Cyr en la même manière qu'*Esther*. On la fit exécuter seulement devant Louis XIV et madame de Maintenon presque seuls, dans une

---

[1] This verse and the four at the end of this sentence are verses 23 and 25–28 respectively of "Le Lundi: à Laudes," *Hymnes du bréviaire romain* in *Œuvres de J. Racine*, Paul Mesnard, ed. (Paris: Librairie Hachette, 1865–1873), Vol. IV, p. 113. (RJN)

chambre sans théâtre, dans la «classe bleue», et par les demoiselles vêtues de leurs habits ordinaires, sauf quelques perles et quelques rubans de plus. Il y eut aussi deux ou trois représentations à Versailles par ces mêmes demoiselles qu'on fit venir bien accompagnées, le tout se passant en petit comité devant le roi, dans la chambre de madame de Maintenon. La pièce parut imprimée en 1691, mais fut peu recherchée; on n'en parla guère. Malgré les succès de lecture qu'il obtenait, Racine en souffrit. C'était un autre échec que celui de *Phèdre*, et plus sensible; il fut suivi d'un semblable découragement. Boileau seul tenait bon, et lui soutenait qu'*Athalie* était et resterait son chef-d'œuvre; mais Racine ne l'osait tout à fait croire, et son cœur paternel se reportait avec une secrète prédilection sur *Phèdre*. Trois ans après la mort de Racine, madame de Maintenon voulut tenter une nouvelle représentation d'*Athalie* devant Louis XIV, mais moins à huis clos que les précédentes: c'étaient des dames de la Cour et des seigneurs qui devaient jouer. Les rivalités pour les rôles faillirent tout faire manquer à l'avance: «Voilà donc *Athalie* encore tombée, écrivait madame de Maintenon au duc de Noailles; le malheur poursuit tout ce que je protége et que j'aime . . .» On a souvent cité ces paroles, mais on a pris le mot *tombé* trop à la lettre: *Athalie* n'eut jamais qu'une chute relative, c'est-à-dire un succès moindre.

Sous la Régence, *Athalie* fut mise au théâtre; c'était une profanation. Nous-même qui l'avons vue aussi belle qu'on la pouvait retrouver par Talma dans Joad, nous n'avons jamais compris que cette pièce fût représentable, sans perdre son vrai caractère, par d'autres que par des acteurs purs, graves, non profanes, croyants, uniques comme elle, et placés eux-mêmes sous l'esprit de l'Eternel.

Car l'esprit de l'Eternel, c'est là proprement le génie d'*Athalie;* après cette première beauté de cœur retrouvée dans *Esther* comme si elle n'avait jamais été perdue, l'immuable et terrible grandeur de Dieu, régnant dans *Athalie:* telle est la marche du poète et son progrès.

On pourrait, comme je l'ai indiqué pour *Esther*, chercher dans *Athalie* même et dans son arrière-fond quelque pensée plus ou moins flottante de Port-Royal, cette innocence opprimée, cette justice calomniée:

> Dès longtemps votre amour pour la religion
> Est traité de révolte et de sédition.

(*I, 1, 29–30*)

Et au chœur du second acte:

>   Que d'ennemis lui font la guerre!
>   Où se peuvent cacher tes saints?
>
>   (*II*, 9, *792–793*)

Et dans la bouche de Joad à Joas:

>   Hélas! ils ont des rois égaré le plus sage.
>
>   (*IV*, 3, *1402*)

Mathan, comme Aman, est l'hypocrite, l'ingrat, de la race de celui qui fut homicide dès le commencement, comme dit Pascal. Le chœur du premier acte couronne sa magnificence et ses souvenirs enflammés du Sinaï par cet angélique refrain de l'amour de Dieu opposé à la crainte servile:

>   Pour tant de biens il commande qu'on l'aime!
>
>   LE CHŒUR
>
>   O divine, ô charmante loi!
>   Que de raisons, quelle douceur extrême
>   D'engager à ce Dieu son amour et sa foi!
>
>   UNE AUTRE VOIX, *seule*
>
>   Vous qui ne connaissez qu'une crainte servile,
>   Ingrats! un Dieu si bon ne peut-il vous charmer?
>   Est-il donc à vos cœurs, est-il si difficile
>   Et si pénible de l'aimer?
>   L'esclave craint le tyran qui l'outrage;
>   Mais des enfants l'amour est le partage.
>   Vous voulez que ce Dieu vous comble de bienfaits,
>   Et ne l'aimer jamais?
>
>   (*I*, 4, *360–370*)

«L'auteur fait bien voir, dit l'abbé Racine en citant ce passage, à quelle école il avait été instruit des grandes vérités de la religion.» Témoin ces vers encore dans la bouche de Joad:

>   Ils ne s'assurent point *en leurs propres mérites*,
>   Mais en ton nom sur eux invoqué tant de fois.
>
>   (*III*, 7, *1124–1125*, author's italics)

Si nous nous souvenons de Du Guet et du jugement ému qu'il portait sur *Athalie*, il admirait surtout le *courage* de l'auteur. Mais, ceci indiqué, il serait petit d'aborder *Athalie* de cette sorte et de chercher plus long-temps le particulier dans l'Eternel.

Athalie est surtout une œuvre merveilleuse d'ensemble. C'est l'éloge, je le sais, qu'il faut donner à presque toutes les pièces de Racine; mais l'éloge s'applique ici dans une inconcevable rigueur. Depuis le premier vers d'*Athalie* jusqu'au dernier, le solennel mis en dehors et en action, le «solennel-éternel», articulé dès la première rime, vous saisit et ne vous laisse plus. Rien de faible, rien qui relâche ni qui, un seul instant, détourne; la variation n'est que celle d'un point d'orgue immense, où le flot majestueux monte plus ou moins, mais où il n'est pas un moment du ton qui ne concoure à la majesté souveraine et infinie.

Aussi est-ce surtout à propos d'*Athalie* qu'il faut répéter ce que j'ai avancé en général de l'œuvre de Racine: tout ce qu'on en peut détacher est moindre et inférieur, si beau qu'on le trouve, et a dans l'ensemble une autre valeur inqualifiable, indicible. L'auteur arrive par des moyens toujours simples à l'effet le plus auguste; une fois entré, on suit, on se meut dans le miracle continuel, comme naturellement.

Cet ordre, ce dessein avant tout, cet aspect d'ensemble qui est beau de toute beauté dans *Athalie*, nous est figuré dans le temple, et quel temple! On a fait (et je le sais trop bien), on a fait des objections au temple d'Athalie; on lui a opposé les mesures colossales de celui de Salomon, la colonne de droite nommée *Jachin* et celle de gauche nommée *Booz*, les deux Chérubins de dix coudées de haut, en bois d'olivier revêtu d'or, tout ce cèdre du dedans du temple rehaussé de sculptures, de moulures, et la mer d'airain et les bœufs d'airain, ouvrage d'Hiram. Racine, il est vrai, a peu parlé de l'œuvre d'Hiram et des soubassements de cette mer d'airain; il n'a pas pris plaisir à épuiser le Liban comme d'autres à tailler dans l'Athos; son temple n'a que des «festons magnifiques», et encore on ne les voit pas; la scène se passe dans une sorte de vestibule: et cependant ce qui fait la suprême beauté et unité d'*Athalie*, c'est le temple, ce même temple juif de Salomon, mais déjà vu par l'œil d'un chrétien.

Ce que Racine n'a pas décrit, et ce qu'aurait d'abord décrit un moderne plus pittoresque que chrétien, est ce qui devait périr de l'ancien temple, ce qui n'était que figure et matière, ce que ce temple avait de commun sans doute, au moins à l'œil, avec les autres qui n'étaient pas le vrai et l'unique. Si notre grand Lyrique moderne[2] avait eu à décrire le temple de Jérusalem, il eût pu y mettre bon nombre de ces vers de haute et vaste architecture qu'il a prodigués dans *le Feu du ciel* à son panorama des villes maudites.

Mais ce n'était qu'au dehors que ces descriptions eussent convenu; au fond du temple il n'y avait rien: il y avait tout. Lorsque Pompée, usant du droit de conquête, entra dans le Saint des Saints, il observa avec étonnement, dit Tacite, qu'il n'y avait aucune image et que le sanctuaire était vide. C'était une opinion reçue en parlant des Juifs:

Nil præter nubes et cœli numen adorant.[3]

Si Racine, dans le temple d'*Athalie*, a moins rendu le *vestibule*, ç'a donc été pour mieux rendre le *sanctuaire*.

Trop de décors eussent nui à la pensée; trop de descriptions présentées avec une saillie disproportionnée nous eussent caché le vrai sujet, le Dieu un, spirituel et qui remplit tout.

Le grand personnage ou plutôt l'unique d'*Athalie*, depuis le premier vers jusqu'au dernier, c'est Dieu. Dieu est là, au-dessus du grand-prêtre et de l'enfant, et à chaque point de cette simple et forte histoire à laquelle sa volonté sert de loi; il y est invisible, immuable, partout senti; caché par le voile du Saint des Saints où Joad pénètre une fois l'an, et d'où il ressort le plus grand après Celui qu'on ne mesure pas.

Cette unité, cette omnipotence du Personnage éternel, bien loin d'anéantir le drame, de le réduire à l'hymne continu, devient l'action dramatique elle-même, et en planant sur tous elle se manifeste par tous, se distribue et se réfléchit en eux selon les caractères propres à chacun: elle reluit en rayons pleins et directs dans la face du grand-prêtre, en aube rougissante au front du royal enfant, en rayons affaiblis et souvent noyés de larmes dans les yeux de Josabeth; elle se brise en éclairs effarés au front d'Athalie, en lueurs bassement haineuses et lividement féroces au sourcil de Mathan; elle tombe en lumière droite, pure, mais sans rayon, au cimier sans aigrette d'Abner. Tous ces personnages agissent, se meuvent selon leur personnalité humaine à la fois et selon le souffle éternel: le grand-prêtre seul est comme la voix calme, haute, immuable

---

[2] Victor Hugo (1802–1885). (RJN)
[3] "They adore nothing but the majesty of the clouds and the heavens" (Juvenal, *Satires*). (RJN)

de Dieu, redonnant le ton suprême, si les autres voix le font par instants baisser.

Malgré donc tout ce qu'il y a de lyrique et dans cette voix sans cesse ramenée du chœur et dans certains moments du grand-prêtre, nul drame n'est plus réalisé que celui d'*Athalie* et par des personnages mieux dessinés; nul plus saisissant, plus resserrant à chaque pas, et mieux poussant à l'intérêt, à la grande émotion, aux larmes, malgré la certitude du divin décret. On est jusqu'au bout dans une transe religieuse; on est comme le fidèle Abner, dont l'esprit n'ose devancer l'issue; on est muet et sans haleine comme ces Lévites immobiles sous les armes et cachés; on sent dresser ses cheveux à cet instant où, tout étant prêt, et Athalie donnant dans le piège, le grand-prêtre éclate:

> Grand Dieu, voici ton heure, on t'amène ta proie.
>
> (*V*, *3*, *1668*)

et bientôt, s'adressant à Athalie elle-même:

> Tes yeux cherchent en vain, tu ne peux échapper,
> Et Dieu de toutes parts a su t'envelopper.
>
> (*V*, *5*, *1733–1734*)

Consommation digne du drame lent et sûr conduit par Dieu seul.

C'est tellement cet invisible qui domine dans *Athalie*, l'intérêt y vient tellement d'autre part que des hommes, bien que ces hommes y remplissent si admirablement le rôle qui leur est à chacun assigné, que le personnage intéressant du drame, l'enfant miraculeux et saint, Joas, est, à un moment capital, brisé lui-même et flétri comme exprès en sa fleur d'espérance. Dans cette scène de la fin du troisième acte, dans cette prophétie du grand-prêtre, qui est comme le *Sinaï* du drame, c'est Joas de qui il est dit:

> Comment en un plomb vil l'or pur s'est-il changé?
>
> (*III*, *7*, *1142*)

Car qu'est-ce que Joas devant l'Eternel? De quel poids est-il, après tout, dans les divins conseils? Joas tombe, un autre succède: roseau pour roseau. Joas, dans cette scène prophétique, c'est la race de David, mais elle-même rejetée dès qu'elle a produit la tige unique, nécessaire et impérissable: qu'importe la Jérusalem de pierre, quand on aura la nouvelle?

Quelle Jérusalem nouvelle
Sort du fond désert, brillante de clartés,
Et porte sur le front une marque immortelle?
Peuples de la terre, chantez.
Jérusalem renaît plus charmante et plus belle.
D'où lui viennent de tous côtés
Ces enfants qu'en son sein elle n'a point portés?
Lève, Jérusalem, lève ta tête altière.
Regarde tous ces rois de ta gloire étonnés.
Les rois des nations, devant toi prosternés,
De tes pieds baisent la poussière;
Les peuples à l'envi marchent à ta lumière.
Heureux qui pour Sion d'une sainte ferveur
Sentira son âme embrasée!
Cieux, répandez votre rosée,
Et que la terre enfante son Sauveur.

(*III, 7, 1159–1174*)

Le vrai Joas de la pièce, à ce moment sublime où elle se transfigure, le Joas du lointain et de l'espérance immortelle, le flambeau rallumé de David éteint, l'enfant sauveur échappé du glaive, c'est le Christ.

Le temple juif vu par l'œil chrétien, le culte juif attendri par l'idée chrétienne si abondamment semée aux détails de la pièce, et qui se dévoile en face à ce moment, voilà bien le sens d'*Athalie*.

La prophétie close, cet éclair deux fois surnaturel évanoui, le surnaturel ordinaire de la pièce continue; le drame reprend avec son intérêt un peu plus particulier; Joas redevient le rejeton intéressant à sauver et pour qui l'on tremble. Joad lui-même, en lui parlant, semble avoir oublié cette chute future entrevue par lui-même dans la prophétie. Pourtant une sorte de crainte, à ce sujet, ne cesse plus, et fait ombre sur l'avenir et sur la persévérance de cet enfant merveilleux. Joas y perd: la véritable unité de la pièce, Dieu, à qui tout remonte, y gagne.

Je me rappelle qu'enfant, quand je lisais *Athalie*, il me prenait une peine profonde de cette chute prédite de Joas; à partir de cet endroit, la pièce, pour moi, était gâtée et comme défleurie. C'est que je jugeais en enfant, sur la fleur, tandis qu'il faut entrer avec Joad dans le néant de l'homme et dans les puissances du Très-Haut.

Quoi qu'il en soit de cette ombre un moment aperçue au front de l'enfant, il est bien touchant que cet enfant tienne le principal rôle de la pièce, au moins quant à l'intérêt de tendresse; il sied que la plus auguste et la plus magnifique pièce sacrée ait pour héros un enfant, et qu'elle ait été composée pour des enfants; c'est une harmonie chrétienne de plus: *Parvulis!*[4]

Athalie, comme art, égale tout. Le sentiment de l'Eternel, que j'ai marqué le dominant et l'unique de la pièce, est si bien conçu et exprimé par l'âme et par l'art à la fois, que ceux même qui ne croiraient pas seraient pris non moins puissamment par ce seul côté de l'art, pour peu qu'ils y fussent accessibles. Quand le Christianisme (par impossible) passerait, *Athalie* resterait belle de la même beauté, parce qu'elle le porte en soi, parce qu'elle suppose tout son ordre religieux et le crée nécessairement. *Athalie* est belle comme l'*Œdipe-roi*, avec le vrai Dieu de plus.

Racine, dans *Athalie*, a égalé les grandeurs bibliques de Bossuet; et il les a égalées avec des formes d'audace qui lui sont propres, c'est-à-dire toujours amenées et revêtues, et sans avoir besoin des brusqueries de Bossuet. Le *Discours sur l'Histoire universelle*, *Athalie* et *Polyeucte* (ne l'oublions pas), ce sont les trois plus hauts monuments d'Art chrétien au dix-septième siècle — les *Pensées* de Pascal, par malheur, n'ayant pu atteindre au monument proprement dit et étant restées à l'état de grandes ruines.

Pour rappeler notre Port-Royal de la seule manière convenable dans ce sublime couronnement, je me contenterai de soumettre cette pensée: «Pour faire *Athalie*, il fallait un poète profondément chrétien, élevé comme le fut Racine à Port-Royal, et qui y fût fidèlement revenu.»

---

[4] For children! (RJN)

Théodore de Banville
1823-1891

CORNEILLE ET RACINE, POÈTES TRAGIQUES

NON SEULEMENT LA TRAGÉDIE est morte chez nous, mais la vérité est qu'elle n'y naquit jamais. Car, pour que nous eussions réellement des tragédies, il aurait fallu que nous fussions de la même religion que les héros, fils des Dieux, que mettaient en scène nos auteurs tragiques, et qu'un Chœur chanté exprimât les pensées communes au poète et au spectateur. En réalité, les tragédies de Racine ont toujours au fond pour sujet les événements qui se passaient à la cour de Louis XIV; et l'adoration de Louis XIV était le seul lien entre les spectateurs et lui; mais c'est là une religion qui n'avait pas un grand avenir, et que le Roi-Soleil devait emporter dans sa tombe.

Qu'a donc, en résultat, fait le grand poète Racine? Des chefs-d'œuvre magnifiques, parfaits, immortels, dans un genre qui était destiné à mourir, même quand ces chefs-dœuvre étaient destinés à vivre. Mais quand il écrivit *Esther* et *Athalie*, c'est-à-dire des tragédies dont le sujet était pris dans sa vraie religion, il retrouva nécessairement la vraie

From Petit Traité de poésie française (*Paris: Librairie Charpentier, 1881*). *First published: 1872. Title supplied by RJN.*

forme tragique. D'ailleurs, il avait bien senti en lui-même combien la poésie lyrique est une partie nécessaire de la Tragédie, et si ses deux poèmes sacrés sont les seuls que coupent de divines strophes chantées, du moins il ne manqua jamais, dans les autres, d'atténuer l'horreur du drame par les élans de lyrisme qui suppléent, autant que cela est possible, à la strophe absente. Mais dans les chœurs d'Esther, il retrouve, anime, réveille délicieusement de son long sommeil l'harmonieuse, la gémissante lyre de Sophocle et d'Euripide:

UNE ISRAÉLITE, *seule*

Pleurons et gémissons, mes fidèles compagnes.
A nos sanglots donnons un libre cours.
Levons les yeux vers les saintes montagnes
D'où l'innocence attend tout son secours.
O mortelles alarmes!
Tout Israël périt. Pleurez, mes tristes yeux.
Il ne fut jamais sous les cieux
Un si triste sujet de larmes.

TOUT LE CHŒUR

O mortelles alarmes!

UNE AUTRE ISRAÉLITE

N'était-ce pas assez qu'un vainqueur odieux
De l'auguste Sion eût détruit tous les charmes,
Et traîné ses enfants captifs en mille lieux?

TOUT LE CHŒUR

O mortelles alarmes!

LA MEME ISRAÉLITE

Faibles agneaux livrés à des loups furieux,
Nos soupirs sont nos seules armes.

TOUT LE CHŒUR

O mortelles alarmes!

(I, 5, 292–305)

Mille fois plus que Racine, Corneille fut, dans le vrai sens du mot, un poète tragique. Il arrivait après Jodelle, après Garnier, après Hardy, et cependant il fut le premier poète français qui véritablement composa des tragédies, et pour bien dire, il fut aussi le dernier. Dans l'histoire des transformations de la poésie, il arrive bien souvent que l'homme qui, chez un peuple, crée une forme poétique, est à la fois le premier et le dernier qui sache s'en servir. Ceci s'applique exactement à Corneille, qui, à prendre les choses dans leur vérité absolue, a été en France *le seul* auteur tragique. Seul en effet il a réuni dans ses poèmes les deux conditions sans lesquelles la tragédie n'est pas et ne peut pas être: car *sa tragédie est toujours religieuse et lyrique.*

Religieuse: On se demandera tout d'abord comment *Cinna, Pompée, Œdipe, Rodogune,* dont les sujets sont empruntés à l'histoire romaine, grecque et asiatique, peuvent être des tragédies religieuses pour des chrétiens. L'objection est inévitable et se dresse d'elle-même devant moi; mais il est facile d'y répondre. Avec la profonde intuition du grand poète, Corneille dégagea l'idée fondamentale du christianisme, qui est le sacrifice, l'immolation de l'individu au devoir et à un idéal supérieur à ses intérêts terrestres; et de cette idée, de plus en plus raffinée et sublimée, il fit le sujet de toutes ses pièces. *Le Cid,* c'est l'immolation de l'amour au sentiment filial; *Horace,* c'est l'immolation de la famille à la patrie; *Cinna,* c'est l'immolation du ressentiment humain à la clémence quasi-divine; *Polyeucte,* c'est l'immolation et le sacrifice de tout amour terrestre à l'amour divin. La Tragédie de Corneille fut donc toujours religieuse, comme celle des Grecs; mais tandis que, chez les Grecs, elle l'était par l'assentiment unanime de tout un peuple et par la volonté du législateur, elle le fut chez Corneille par l'initiative et par l'instinct seul du poète, ne trouvant d'aide et de ressource qu'en lui-même pour transporter dans le monde moderne, avec les qualités traditionnelles qui pouvaient le rendre durable, un poème que les anciens seuls avaient possédé et connu.

Lyrique: Le même instinct qui avait révélé à Corneille que la Tragédie doit être religieuse, lui avait révélé en même temps qu'elle doit être lyrique, sous peine de ne pas être. Il ne pouvait songer à obtenir des chœurs de ses comédiens encore si peu riches, et qui sortaient à peine de l'état nomade: et il sentait bien d'ailleurs que, dans le monde moderne, le lyrisme parlé devait se substituer fatalement au lyrisme chanté. Alors, par une admirable transposition, il imagina *le monologue lyrique* en

stances régulières, qui devait aussi bien que possible — et merveilleusement pour nous — remplacer le chœur antique, puisque le monologue
représente, par une indiscutable convention dramatique, ce qui se passe
dans l'âme du personnage mis en scène. Cette âme parlant à l'âme du
spectateur emploie naturellement et nécessairement le langage divin.
C'est en strophes que s'exprime don Rodrigue, forcé de choisir entre son
amour pour Chimène et sa piété filiale.

> Percé jusques au fond du cœur
> D'une atteinte imprévue aussi bien que mortelle,
> Misérable vengeur d'une juste querelle,
> Et malheureux objet d'une injuste rigueur,
> Je demeure immobile, et mon âme abattue
> Cède au coup qui me tue.
> Si près de voir mon feu récompensé,
> O Dieu, l'étrange peine!
> En cet affront, mon père est l'offensé,
> Et l'offenseur le père de Chimène!
>
> Que je sens de rudes combats!
> Contre mon propre honneur mon amour s'intéresse:
> Il faut venger un père, et perdre une maîtresse:
> L'un m'anime le cœur, l'autre retient mon bras.
> Réduit au triste choix ou de trahir ma flamme
> Ou de vivre en infâme,
> Des deux côtés mon mal est infini.
> O Dieu, l'étrange peine!
> Faut-il laisser un affront impuni?
> Faut-il punir le père de Chimène?
>
> (*I, 5, 291–310*)

C'est en strophes aussi que Polyeucte, détaché de tout sentiment
humain et prêt à embrasser le martyre, exprime son appétit des voluptés
célestes:

> Source délicieuse en misères féconde,
> Que voulez-vous de moi, flatteuses voluptés?
> Honteux attachements de la chair et du monde,
> Que ne me quittez-vous quand je vous ai quittés?
> Allez, honneurs, plaisirs, qui me livrez la guerre:

Toute votre félicité,
Sujette à l'instabilité,
En moins de rien tombe par terre;
Et, comme elle a l'éclat du verre,
Elle en a la fragilité.

Ainsi n'espérez pas qu'après vous je soupire:
Vous étalez en vain vos charmes impuissants;
Vous me montrez en vain, par tout ce vaste empire,
Les ennemis de Dieu pompeux et florissants;
Il étale à son tour des revers équitables
Par qui les grands sont confondus;
Et les glaives qu'il tient pendus
Sur les plus fortunés coupables,
Sont d'autant plus inévitables
Que leurs coups sont moins attendus.

(*IV*, *2*, *1105–1124*)

Indépendamment des monologues en strophes (et ceci demanderait toute une étude spéciale), Corneille, dans les moments où la passion arrive à son apogée et veut pour expression *quelque chose qui remplace le chant*, coupe son dialogue d'une manière régulière, avec des répliques égales, qui, pour ainsi dire, se font pendant l'une à l'autre, et donnent tout à fait l'*équivalent de la forme lyrique*. Ce procédé est emprunté aux comédies primitives du vieux théâtre français, qui, dans ce cas, admettant même *le vers refrain*, revenant plusieurs fois de suite, ce qui donne au dialogue une saveur imprévue et une grâce étrange. On en trouve dans les pièces de Corneille, et surtout dans *le Cid*, de nombreux et admirables exemples:

LE COMTE

Ce que je méritais, vous l'avez emporté.

DON DIÈGUE

Qui l'a gagné sur vous l'avait mieux mérité:

LE COMTE

Qui peut mieux l'exercer en est bien le plus digne.

DON DIÈGUE

En être refusé n'en est pas un bon signe.

LE COMTE

Vous l'avez eu par brigue, étant vieux courtisan.

DON DIÈGUE

L'éclat de mes hauts faits fut mon seul partisan.

LE COMTE

Parlons en mieux; le Roi fait honneur à votre âge.

DON DIÈGUE

Le Roi, quand il en fait, le mesure au courage.

LE COMTE

Et par là cet honneur n'était dû qu'à mon bras.

DON DIÈGUE

Qui n'a pu l'obtenir ne le méritait pas.

(I, 4, 215–224)

Après cet exemple, en voici un autre tiré du même poème, qui mieux encore montre l'alexandrin classique pénétré par le chant et offrant l'harmonie régulière et musicale de l'ode:

DON RODRIGUE

O miracle d'amour!

CHIMÈNE

O comble de misères!

DON RODRIGUE

Que de maux et de pleurs nous coûteront nos pères!

CHIMÈNE

Rodrigue, qui l'eût cru!

DON RODRIGUE

Chimène, qui l'eût dit!

CHIMÈNE

Que notre heur fût si proche et sitôt se perdît?

DON RODRIGUE

Et que si près du port, contre toute apparence,
Un orage si prompt brisât notre espérance?

CHIMÈNE

Ah! mortelles douleurs!

DON RODRIGUE

Ah! regrets superflus!

CHIMÈNE

Va-t'en, encore un coup, je ne t'écoute plus.

(III, 4, 985–992)

Des quelques observations qui précèdent il résulte deux choses.
L'une c'est que, si jamais la Tragédie peut renaître chez nous (ou naître),
c'est en se rapprochant le plus possible de la forme de la tragédie
grecque, ou du moins de la tragédie de Corneille. La seconde c'est que,
contrairement à ce qu'on a cru et dit souvent, la limite qui sépare le
Drame de la Tragédie est parfaitement connue et définie. D'une part le
Drame n'est pas tenu d'être religieux et national au point de vue des
spectateurs qui l'écoutent; de l'autre, dans le Drame, le lyrisme est mêlé
et contenu dans la trame du vers alexandrin, tandis que dans la
Tragédie il se sépare du dialogue et paraît sous sa forme type d'ode et de
chant divisé en strophes. Ceci est le point capital; car la forme de l'ode
étant mise à part, le Drame peut s'élever aux plus sublimes élans
lyriques, et, pour s'en convaincre, il n'y a qu'à parcourir le théâtre de
Victor Hugo.

Charles Péguy

1873 - 1914

NOTRE PARALLELE

DE CORNEILLE ET DE RACINE

LES BLESSURES QUE NOUS RECEVONS, nous les recevons dans Racine; les êtres que nous sommes, nous le sommes dans Corneille.

*   *   *

Quand nous ferons, à notre tour, quand nous referons après tant d'autres le célèbre *parallèle* (si inégal) *de Corneille et de Racine,* nous reconnaîtrons aisément, ce sera une de nos premières constatations, une de nos reconnaissances capitales, mais une de nos reconnaissances pour ainsi dire préliminaires, sur le seuil, avant le seuil, que Corneille ne travaille jamais que dans le domaine de la grâce et que Racine ne travaille jamais que dans le domaine de la disgrâce. Corneille n'opère jamais que dans le royaume du salut, Racine n'opère jamais que dans le royaume de la perdition. Corneille n'a jamais pu faire des criminels et

From Victor-Marie, comte Hugo *in* Œuvres eu prose: 1909–1914, *Marcel Péguy, ed., Bibliothèque de la Pléiade (Paris: Editions Gallimard, 1961). Reprinted by permission of Editions Gallimard. First published: 1910. Title supplied by RJN.*

des pécheurs, (ses plus grands criminels et ses plus grands pécheurs), qui ne fussent éclairés de quelque reflet de quelque lueur de la grâce, qui ne fussent nourris de quelque infiltration de la grâce; abreuvés; qui ne se sauvassent en quelque point, en quelque sorte. De quelque manière. Et même les sacrés de Racine sont pétris de disgrâce. Ce n'est pas seulement Phèdre qui est une païenne, et une chrétienne, et une janséniste à qui la grâce a manqué. Non seulement toutes ses femmes et toutes ses victimes et tous ses hommes. Mais ses enfants même, ce qui est infiniment pire, mais ses sacrés mêmes, ses exécrables prêtres, Joad, Eliacin, Josabeth; Esther, Mardochée; son prophète même, ou ses prophètes. Ils sont tous irrévocablement pétris de disgrâce, (serait-ce donc de la disgrâce janséniste; qui placée comme un germe, comme un virus à l'origine même, au point d'origine de l'homme et de l'œuvre, se serait ensuite et lentement et patiemment diffusée jusqu'aux membres le plus éloignés; comme naturellement; par une diffusion naturelle; sans compter les contaminations auxiliaires d'une amitié seulement inter-rompue), (et peut-être seulement apparemment interrompue), ils sont tous quelqu'un à qui la grâce a manqué. Non seulement des chrétiens à qui la grâce a manqué, mais tous, des païens pour ainsi dire à qui la grâce a manqué, des Grecs, des Romains; des Infidèles à qui (on peut le dire, si étrange que cela paraisse), à qui la grâce a manqué; des Turcs; enfin des Juifs mêmes, des *prophètes* à qui la grâce a manqué, autant qu'on peut le dire, au moins la grâce précisément de prophétie.

Par contre il y a quelque chose de désarmant, de vraiment touchant à voir l'opiniâtreté forcenée, frénétique, l'entêtement, l'efforcement, la persévérance, l'endurance, la force d'illusion sur soi, la méconnaissance de soi, la constance extraordinaire, l'application, le studieux, le sérieux, la patience, le scolaire avec lequel Corneille s'est efforcé pendant toute l'immense deuxième moitié de sa carrière,

> Le sort, qui de l'honneur nous ouvre la barrière,
> Offre à notre constance une illustre matière;
>   (*Horace. II, 3, 431–432*)

s'est appliqué laborieusement à faire des criminels extraordinaires, plus noirs que le noir de fumée, sans jamais parvenir, le vieux et le maître, avec tout ce labeur, malgré tout ce labeur, à faire un seul être disgracié. Racine n'a jamais pu faire un être *gracieux*, non pas même Bérénice.

Corneille n'a jamais pu faire que des êtres gracieux, Racine n'a jamais pu faire que des êtres disgraciés, et ce qu'il y a de tragique c'est qu'il est impossible de nier qu'il les faisait tout naturellement, qu'ils sortaient de lui, qu'ils lui venaient naturellement ainsi.

Les vieux criminels censément les plus endurcis de Corneille ont le cœur plus pur que les plus jeunes adolescents (et surtout adolescentes) de Racine. L'impuissance à la cruauté des cornéliens est désarmante. La cruauté naturelle, profonde, des raciniens est sans limite. Et cela sans aucune exception . . .

*   *   *

. . . Le dialogue racinien est généralement un combat, (on pourrait dire constamment un combat); dans le dialogue racinien le partenaire est généralement, constamment un adversaire; le propre du personnage racinien est que le personnage racinien parle constamment pour mettre l'adversaire dans son tort, ne se propose que de mettre l'adversaire dans son tort, ce qui est le commencement même, le principe de la cruauté. Les personnages cornéliens au contraire, qui sont la courtoisie, la générosité même, même quand il ne veut pas, *même quand ils ne veulent pas*, ne parlent jamais que pour mettre l'adversaire, le partenaire, l'ennemi même *dans sa raison*, et ensuite vaincre libéralement cette raison.

Tout est adversaire, tout est ennemi aux personnages de Racine, ils sont tous ennemis les uns des autres et ils ne parlent jamais que pour mettre l'adversaire dans son tort et ainsi justifier d'avance ensemble, en dedans, les cruautés qu'ils exerceront sur lui, comme lui-même a déjà justifié les cruautés qu'il exercera sur eux.

Les victimes de Racine sont elles-mêmes plus cruelles que les bourreaux de Corneille. Ces pauvres bourreaux de Corneille ne réussissent point à être réellement cruels. Ils ne le sont point naturellement, sincèrement. Ils ignorent le raffinement, qui est toute la cruauté. Le raffinement ne leur vient point. Ils n'en ont pas le goût, ils n'y ont point de compétence. Nulle maîtrise. Ils n'y sont point inspirés. Ils ignorent la douceur, qui est toute et plus que la cruauté. C'est un genre où ils ne réussissent point.

*   *   *

Les cornéliens ne se blessent jamais, même et surtout quand ils se tuent; leur honneur alors est précisément de ne point se blesser, en un sens de ne point se faire de mal. Plus ils sont ennemis, plus ils se battent, moins aussi, moins donc ils se veulent du mal, moins ils se veulent de mal, moins ils se blessent et ils veulent se blesser. C'est l'idée cornélienne même, on pourrait dire le système cornélien, le grand honneur cornélien. Au contraire ces malheureux personnages de Racine, ils ont tellement la cruauté dans le sang, dans le sang charnel, que même quand ils ne sont pas ennemis, même quand ils ne se battent pas ils se blessent toujours. Ils sont naturellement blessants. Ils blessent par métier, par office, par nature. Par attitude. Ils blesseraient pour se donner une contenance. Ils sont venus au monde blessants et un constant exercice aiguise leur cruauté, maintient l'aigu, la pointe de leur cruauté. De leur blessement. Même quand ils ne se veulent pas de mal, ils s'en font. Par nature, par entraînement; par habitude, par exercice; par maintien, par cette contenance; par désœuvrement, le pire de tout; par attitude prise, gardée; par une attitude de cœur. Par goût acquis, gardé. Et ils finissent toujours par se vouloir du mal, ne fût-ce que de s'en faire et de s'en être fait.

*   *   *

Corneille est gonflé d'un perpétuel pardon. Ils se pardonnent d'avance, par nature, tout ce qu'ils se feront. Dans Racine c'est diamétralement le contraire. Ils ne se pardonnent pas même ce qu'ils ne se sont pas fait.

*   *   *

Par son impotence même de mal, de cruauté Corneille va plus profond que Racine. Car la cruauté n'est point, tant s'en faut, ce qu'il y a de plus profond. Elle n'est point le profond du cœur, elle n'est point le profond de l'homme. Il y entre souvent beaucoup de vanité. La charité va infiniment plus profond. Elle est si je puis dire un vice pire, infiniment pire, (une inhumanité, surhumanité, sous-humanité, infiniment pire). Plus mordante, infiniment plus profonde, plus dominante, plus attachée, à sa proie. Les saints et les martyrs sont infiniment plus pétris, tenus par la charité, infiniment plus pétris de (la) charité, infiniment plus mordus de charité que les criminels, que les cruels ne sont mordus de cruauté. L'empreinte, plus que l'empreinte, la blessure, la morsure, la nourriture est infiniment plus profonde, plus ineffaçable. (Plus grave). De la charité que de la cruauté. Le saint est infiniment plus marqué que le cruel. Il est infiniment plus dévoré de charité que le cruel n'est mordu de cruauté. *Son cœur consumé d'amour. Son cœur dévoré d'amour.* On pourrait presque dire que le saint est plus irrécusablement victime de sa charité que le criminel, que le cruel n'est victime de sa cruauté.

*   *   *

Sur les gracieux et les disgracieux, il faut évidemment quelque résolution pour avouer, pour convenir, pour voir que Bérénice même est un être *dis*-gracieux. Il faut évidemment rompre pour cela avec beaucoup d'habitudes mentales. Il faut refaire beaucoup de faux plis. Mais lorsqu'on va, lorsqu'on atteint à l'organisation même il faut bien reconnaître qu'elle n'est pas un être *gracieux*. Au sens de la grâce elle n'est pas un être heureux. Elle est, il faut le dire, *une malheureuse.*

Le labeur de Corneille au contraire pour ne pas arriver à faire des êtres malheureux, c'est-à-dire, au fond, des êtres disgrâcieux, disgrâciés, est admirable. Au fond il n'y a pas une femme de Corneille dont on puisse dire: *C'est une malheureuse*; et il n'y a tout de même pas un homme de Corneille dont on puisse dire: *C'est un malheureux.*

*   *   *

L'événement était toujours le même. Ça finissait toujours mal. Par des péripéties de même forme on était toujours conduit à des catastrophes de même forme; aux mêmes désastres; l'événement même était impur; l'événement même était malheureux, était disgrâcié.

La force de grâce de Corneille au contraire est telle qu'elle envahit l'événement même. Une tragédie de Corneille finit toujours bien. Héroïsme, clémence, pardon, martyre elle finit toujours par un couronnement. Les palmes temporelles croissantes dans les trois premières s'achèvent, se promeuvent, se couronnent dans *Polyeucte* en palmes éternelles. L'événement même est pur dans une tragédie de Corneille, dans les tragédies de Corneille; l'événement même est saint, l'événement même est heureux, l'événement même est plein de grâce.

*   *   *

Les tragédies de Racine sont des sœurs séparées alignées qui se ressemblent. Les quatre tragédies de Corneille sont une famille liée.

D'une tragédie de Racine on peut faire une carte. D'une tragédie de Corneille on ne peut donner qu'un *schéma*, comme ceux que l'on voit dans les livres d'histoire naturelle.

Thierry Maulnier
1909-

RACINE DISTINGUÉ DE CORNEILLE

[VOILÀ] CE QUI DISTINGUE RACINE DE CORNEILLE, [voilà] pourquoi Napoléon préfère Corneille, et pourquoi Corneille l'emporte, joué sur le forum romain. Les dictateurs plébéiens se déconcertent devant cette humanité inutilisable, dédaigneuse de donner au spectateur des leçons ou des consignes, et d'où n'émergent pas ces formules sublimes propres à encourager dans la vertu les épouses sensuelles ou à rendre l'ardeur aux régiments fatigués. Racine est un peintre de la vie privée. Nul dramaturge n'est plus intime. Il ne s'applique, avec sa valeur et sa signification souveraines, qu'à cette part simplifiée et brûlante qui reste de l'homme une fois l'homme libéré de toutes ses attaches au lieu, au moment, aux besognes de la vie. Il s'adresse à une humanité qui trouve la passion, la douleur et la mort assez belles pour ne pas leur chercher de justification ou d'enrôlement illégitimes. Le privilège d'accéder aux extrémités de l'exaltation, de la douleur et du désir est un luxe qui demande le loisir et

From Racine (*Paris: Editions Gallimard, 1947*). *Reprinted by permission of Editions Gallimard. First published: 1935. Title supplied by RJN.*

l'indépendance. S'il y a quelque part un lieu favorisé et redoutable où des êtres, fleurs splendides et stériles de la civilisation humaine, s'affranchissent de toutes les entraves, glorieuses ou sans gloire, que l'existence commune met à la liberté d'aimer, de mourir, de meurtrir et de se connaître, le lieu des héros de Racine est celui-là.

*   *   *

Racine n'est [donc] psychologue que de l'action. Mais l'action n'est pas geste, et le progrès du théâtre a consisté à substituer à la mimique, le discours, et au fait, le sentiment. En même temps qu'il subordonne la psychologie à l'action, Racine soumet l'action à la psychologie, puisque c'est des seuls sentiments que l'action est soutenue. Les âmes seules font la tragédie, et la vérité des âmes est la condition de la vérité tragique, puisque le tragique est intérieur. L'action est soutenue dans Shakespeare par des événements nombreux, l'émotion tragique s'y attache encore à la mimique de l'amour et de la mort. Dans Corneille, qui est français et classique, l'intérêt est déjà reporté tout entier sur les sentiments. Mais dans Corneille, les sentiments naissent du drame, tandis que dans Racine, le drame est fait des sentiments. Ainsi l'événement tragique . . . s'affaiblit dans Corneille, où il devient prétexte à l'exposé des sentiments ou à la joute oratoire. Racine lui rend sa prépondérance et sa violence immédiate, mais en le mettant dans les cœurs. Tandis que Corneille montre le tragique autour de l'homme — et cède ainsi aisément à l'emphase héroïque, à cette invitation au sublime qu'est le malheur — Racine montre le tragique dans l'homme: ce qui fait que le drame, qui porte les sentiments dans Corneille, est dans Racine porté par eux. La vérité des sentiments n'est donc pas, pour Corneille, une condition nécessaire de la vraisemblance des situations; l'essentiel est qu'ils soient beaux, émouvants et brillants; ils sont la parure de l'action, tandis que dans Racine, ils en sont les nerfs et la trame. Aussi, la vérité des âmes laisse-t-elle Corneille indifférent. Quand il nous parle de vérité, c'est de vérité historique qu'il s'agit, de la vérité des faits. Le drame de Corneille, étant un drame de situations, se borne à organiser les événements selon le *vraisemblable* — que les événements aient pu se produire — et selon le *nécessaire* — qu'ils soient commandés par la situation. La tragédie selon Racine, au contraire, consiste à «faire quelque chose de rien»[1] et les événements introduits dans le drame ne sont pour lui que les occasions à propos desquelles l'action se noue ou se dénoue. Ils la provoquent, ils la précipient, ils ne la constituent pas. L'action n'est pas dans le fait: «Ce n'est pas une nécessité qu'il y ait du sang et des morts dans une tragédie».

Les sentiments du spectateur devant le drame, ceux que l'époque appelle l'horreur et la pitié, ceux que l'on pourrait appeler la sympathie tragique, la participation du spectateur au malheur de ceux qu'il contemple, s'appliquent, dans Corneille, aux situations plus qu'aux âmes. Car Rodrigue ou Horace peuvent être proches du spectateur par le malheur, ils sont incommensurables au spectateur par le caractère, ils sont moralisateurs et épiques, bien au delà de l'humanité moyenne par le courage et la volonté. On a voulu faire de Corneille le peintre des situations héroïques et de Racine le peintre des situations moyennes, des faits divers . . . En réalité, les situations de Corneille sont fort humaines — guerres, conspirations, crimes d'Etat — c'est la vertu qui ne l'est pas. Que s'aiment les enfants de deux pères rivaux, qu'une jeune fille, en temps de guerre, ait son fiancé dans l'autre camp, que l'amour s'oppose à l'amitié, à l'affection ou au devoir, ce sont là conflits de tous les jours. Corneille laisse à Racine les sujets vraiment surhumains, familles poursuivies par les vengeances divines, hérédités inexorables, captives livrées au chantage et à la brutalité des vainqueurs, sacrifices humains, haines fratricides. Corneille met dans des situations humaines une humanité héroïque; Racine, qui est tragique, met une humanité vraie dans des circonstances implacables, images mêmes de la fatalité. Sans doute, les personnages de Racine sont plus grands, plus violents, plus cruels que l'humanité réelle. Ils ont cependant avec cette humanité la plus profonde ressemblance: la probabilité ou la certitude de la défaite. Ils sont propres au rôle de victimes: ils ne sont nés que pour celui-là.

---

[1] This quotation and the one at the end of this paragraph come from Racine's preface to his *Bérénice*. (RJN)

André Rousseaux
1896 -

CORNEILLE, OU LE MENSONGE HÉROÏQUE

LES GRANDES VÉRITÉS HUMAINES demeurent vivantes et chaudes sous
les formules où l'on croit qu'elles sont refroidies. Corneille, Racine . . .
Dessus de cheminée pédagogique? Mais non. Ce sont les deux termes de
notre rythme, de notre complexité, de notre richesse. On dit, on nous
ressasse que la France n'a pas un génie national, comme est Shakespeare
pour l'Angleterre, Gœthe pour l'Allemagne, Dante pour l'Italie. C'est
vrai. La France ne se simplifie pas, ne se fixe pas dans un seul élan. Elle
vit d'une oscillation et d'une pulsation, comme la terre entre ses saisons,
comme le cœur de l'homme entre ses battements. Elle en vit si bien que
l'enfant français apprend ce rythme dès son jeune âge, comme on
apprend à respirer. Corneille, Racine . . .

C'est bien un professeur, à vrai dire, qui a dicté le thème de la leçon,
un précepteur princier qui est devenu dans nos lettres maître de morale
supérieure. La pédagogie tient chez nous une place si active qu'à peine le

From Le Monde classique, *Vol. I* (*Paris: Editions Albin Michel, 1941*). *First
published in* La Revue de Paris, *Vol. XLIV* (*July 1, 1937*). *Reprinted by permission
of Editions Albin Michel and* La Revue de Paris.

génie s'est-il manifesté, il se trouve un maître à penser pour le mettre en formule didactique. Corneille et Racine sont encore vivants que La Bruyère survient pour faire à leur sujet de la morale comparée. Comme il convient en pédagogie, la formule est fausse et utile. Fausse, parce que La Bruyère retient, devant un aspect trompeur de Corneille et de Racine, les esprits qui risqueraient d'avoir le vertige s'ils pénétraient leur réalité. Utile, parce qu'elle pose toutefois les données de la réalité.

Corneille et Racine mis face à face par le distributeur de clarté, il suffira que quelqu'un vienne donner la lumière. Ce sera un poète, bien entendu, un poète de l'homme, un poète qui empoigne l'homme, qui le jette à la tête de lui-même. Ce sera Péguy, qui écrit: «Les blessures que nous recevons, nous les trouvons dans Racine. Les êtres que nous sommes, nous les trouvons dans Corneille.»[1] Vous voyez ce coup, ce redressement que la poigne de Péguy donne à la leçon de La Bruyère. *Les hommes comme ils devraient être*, avait dit le précepteur, au sujet des héros de Corneille. *Les êtres que nous sommes*, réplique le visionnaire du génie humain.

C'est Péguy qui a raison.

II

Les êtres que nous sommes . . . Qui sommes-nous? Des possibilités braquées sur un petit nombre de modèles. Paul Bourget voyait en tout quatre de ces modèles où l'homme a fixé le désir de lui-même: Alceste, Hamlet, Don Juan et Don Quichotte.

Je crois que les quatre se réduisent à deux, en définitive, les deux derniers. Car Don Juan est prolongé par Alceste et Hamlet; sa course frénétique et inassouvie débouche sur leur amertume et leur anxiété.

Oui, il n'est peut-être que deux hommes sur la terre, Don Juan et Don Quichotte: l'homme qui se cherche et l'homme qui se donne. Et les deux héros que l'Espagne a fournis à l'humanité sont aussi, sans doute, les deux termes auxquels la tragédie française a suspendu le balancement qui anime le poème de l'âme humaine. Don Juan et Don Quichotte.

---

[1] In the edition by Marcel Péguy from which I have quoted this passage (above p. 97), the conclusion of the second sentence reads: ". . . nous le [sic] sommes dans Corneille." (RJN)

Racine et Corneille. Racine est possédé par le génie de Don Juan avec
tout l'Alceste et l'Hamlet virtuels que Don Juan porte en lui. Quant au
génie cornélien, c'est Don Quichotte; cela demande à peine à être
proposé pour être admis.

III

Le mot *cornélien* est presque aussi trompeur que l'idée que nous
nous faisons de Corneille après deux cent cinquante ans qu'on ne lit plus
guère que les quatre ou cinq chefs-d'œuvre de son théâtre choisi. C'est
un mot qui nous représente, à juste titre, l'exemple littéraire de la
grandeur et de l'héroïsme, mais aussi l'héroïsme devenu littérature, la
grandeur déroulée en éloquence — la pire, celle à qui Verlaine veut
tordre le cou. Si l'on n'allait pas plus loin, Corneille, quand on a fait la
part du *Cid*, soulevé par une invincible jeunesse, de *Polyeucte*, armé
d'idéal tout pur, Corneille évoquerait un peu trop de pectus et de
majesté sonore. Et de l'héritage romain, il porterait sur sa carrure solide
le passif le plus lourd et le plus cuirassé.

Prenons garde seulement que l'héritage romain échoit à l'œuvre de
Corneille, à l'âge où le génie se réalise, mais après l'âge où le génie
explose. Oh! juste après: *Horace* suit immédiatement *le Cid*. Cependant,
il y a quatre années entre la représentation du *Cid* et celle d'*Horace*, et
quatre années qui comptent beaucoup à l'âge où elles se placent dans la
vie de Corneille. Quand il donne *le Cid*, il a trente ans, il est à la cime de
la jeunesse virile. Quand il fait *Horace*, ses trente-quatre ans (qui sont
aussi l'année de son mariage) sonnent l'entrée dans la maturité. Sur le
versant du *Cid*, c'est encore la jeune littérature, la poésie d'avant-garde,
l'opposition à l'Académie et aux belles-lettres officielles représentées par
Richelieu. Sur le versant d'*Horace*, dédié au Cardinal, c'est déjà la
situation de l'écrivain établi dans le succès et la fécondité commençante.
Et sans doute *Horace*, avec tout ce qui suivra, développera en quantité magnifique la qualité inouïe du chef-d'œuvre qu'était *le Cid*.
Demandons-nous cependant ce que serait Corneille dans les lettres
françaises s'il était mort dans cet intervalle de quatre années qui sépare
le chef-d'œuvre de l'œuvre. Il n'y aurait ni *Horace*, ni *Cinna*, ni *Pompée*,
et l'adjectif *cornélien* n'aurait pas du tout le même sens que nous lui
donnons. Mais il y aurait *le Cid*, et c'est l'essentiel. Et ce qui précède *le*

Cid prendrait peut-être du même coup plus de valeur. Alors, il se pourrait que l'adjectif *cornélien*, éclairé par les trois dernières pièces d'avant la trentième année, par *Médée, L'Illusion comique* et *le Cid*, signifiât que Corneille est le poète de la magie, de l'illusion, de l'aventure et de l'amour. Le poète de tout le merveilleux que l'homme peut mettre dans la vie de l'homme.

Ce cornélianisme idéal trouve, d'ailleurs, dans l'héritage romain la plus belle matière qu'il pouvait souhaiter d'employer. Les deux sens de l'adjectif *cornélien* ne s'opposent pas; le second remplit superbement le cadre du premier, ouvert d'avance à l'ivresse des grandeurs. Mais il faut d'abord rejoindre le premier, qui indique le point éclatant d'où Corneille a pris son essor.

IV

Puis il faut aussitôt s'aviser que le poète de l'aventure et de l'amour adore l'aventure amoureuse, mais en redoute le mystère. Même, l'aventure lui est d'autant plus précieuse qu'elle couvre, de son panache, des secrets dont Corneille craindrait que la présence ne se révélât dans un cœur mis à nu. Il se plaît d'autant plus à la conquête des cœurs que leur conquête ne permet pas de s'arrêter à leur exploration.

C'est pourquoi l'un des secrets de Corneille me paraît tenir entre deux petits poèmes sur l'amour, à demi-légers, à demi-sentimentaux, où il exprime à l'égard de l'amour ce sentiment vif et sincère, mêlé de gourmandise du cœur et de méfiance pour une énigme où cet homme ardent et raisonnable se garde de trop verser.

Voici pour le détachement de la passion profonde. C'est une désinvolte chanson de jeunesse, qui fait penser à du Musset des *Contes d'Espagne et d'Italie*:

> Si je perds bien des maîtresses
> J'en fais encor plus souvent,
> Et mes vœux et mes promesses
> Ne sont que feintes caresses,
> Et mes vœux et mes promesses
> Ne sont jamais que du vent.

. . . .

> Plus inconstant que la lune,
> Je ne veux jamais d'arrêt;
> La blonde comme la brune
> En moins de rien m'importune;
> La blonde comme la brune
> En moins de rien me déplaît.
>
> Si je feins un peu de braise,
> Alors que l'humeur m'en prend,
> Qu'on me chasse, ou qu'on me baise,
> Qu'on soit facile ou mauvaise,
> Qu'on me chasse, ou qu'on me baise,
> Tout m'est fort indifférent . . .[2]

Bravade, boutade, humoresque, font ici, bien sûr, un cliquetis qui s'amuse de ses provocations. Provocations qui sont non seulement de Corneille, mais de son temps; du siècle de Henri IV et de Louis XIII. Saint-Amant écrit aussi:

> Je n'ai pas sitôt dit que j'aime
> Que je sens que je n'aime plus.

Mais provocations qui sont bien cornéliennes: si Rodrigue n'était pas provocant, *le Cid* n'existerait pas. Et puis, l'impertinence du jeune Corneille a pour réplique, à l'autre bout de la vie du poète, les vers où un cœur qui n'a pas vieilli suggère sur une musique exquise le respect infini de l'amour, le respect qui excuse, et même qui peut justifier l'impertinence de l'amant. Ce respect quasi religieux pour le miracle qu'il y a dans tout amour, le souffle de Psyché l'exhale, quand elle ose à peine dire le ravissement où la jette «un je ne sais quel feu que je ne connais pas» (*Psyché*. III, 3, 1053):

> Je ne sais ce que c'est; mais je sais qu'il me charme,
> 　　Que je n'en conçois point d'alarme:
> Plus j'ai les yeux sur vous, plus je m'en sens charmer,
> Tout ce que j'ai senti n'agissait point de même,
> 　　Et je dirais que je vous aime,
> Seigneur, si je savais ce que c'est que d'aimer.
>
> 　　　　　　　　　　　　　　　　(*III, 3, 1059–1064*)

---

[2] Rousseaux quotes the first, third, and fourth stanzas of "Chanson". (*Œuvres*, X, 55–56). (RJN)

Le mystère de l'amour n'a jamais reçu de la poésie française une invocation plus pure et plus craintive. Deux petites mains blanches se tendent vers le monstre pour reconnaître sa puissance; mais deux paupières palpitent et se ferment sur des yeux qui ont peur.

V

Corneille ne nous cache pas que pour lui les problèmes de l'amour ne doivent pas se poser. Il le dit formellement dans *Tite et Bérénice*:

> A l'amour vraiment noble il suffit du dehors;
> Il veut bien du dedans ignorer les ressorts:
> Il n'a d'yeux que pour voir ce qui s'offre à la vue,
> Tout le reste est pour eux une terre inconnue.
>
> (*V*, *2*, *1557–1560*)

L'un des bons critiques de Corneille à notre époque, M. Jean Schlumberger, observe que Corneille est ici d'accord avec les hautes traditions morales de la société française. Ajoutons que le dernier de ces quatre vers, si beau, est comme une porte immense ouverte sur une autre œuvre que celle de Corneille: celle de Racine. Mais pour le théâtre de Corneille, ce vers élève une clôture de bronze. Corneille, amateur des plaisirs de l'amour, fort capable d'en éprouver les mélancolies et les traverses, s'interdit d'entrer dans son trouble infini. Non seulement par pudeur, mais avec le sentiment que le redoutable rejoint ici le sacré. Dans ce même passage de *Tite et Bérénice*, il dit encore:

> Le cœur a quelque chose en soi de tout céleste;
> Il n'appartient qu'aux Dieux . . .
>
> (*V*, *2*, *1564–1565*)

«Ame sans problèmes», dit très justement de Corneille M. Schlumberger. Jules Lemaitre avait déjà remarqué, à propos de certains de ses personnages, que s'il y a lutte entre eux, il n'y a pas ombre de lutte dans le cœur de chacun d'eux.

> Une femme d'honneur peut avouer sans honte
> Ces surprises des sens que la raison surmonte.
>
> (*I*, *3*, *165–166*)

dira Pauline avec une sérénité d'âme que nuancent à peine les regrets d'une tendresse vaincue.

Le problème le plus grave se pose, sans doute, à partir du moment où l'on tâche de démêler ce qu'il entre d'égoïsme et de don de soi dans les mouvements de notre chair et de notre cœur. Corneille coupe court à cette question, par un vers de *Tite et Bérénice* que La Rochefoucauld n'aurait pas désavoué:

> L'amour-propre est la source en nous de tous les autres.
>
> (*I, 3, 279*)

Ses personnages ne feront d'autres dons de soi que ceux de leur amour-propre, les plus fastueux et les plus éclatants qu'ils pourront. On ne trouve pas chez eux, entre la vie extérieure et la vie intérieure, de ces échanges fiévreux où se complaisent les héros de Racine, et qui aboutissent à livrer le monde en pâture à d'intimes inquiétudes. C'est à Corneille lui-même qu'«il suffit du dehors», comme il disait tout à l'heure. C'est lui qui n'a «d'yeux que pour voir ce qui s'offre à la vue». Les problèmes écartés, il reste, pour son génie magnifique, à manier les plus beaux objets dont se jouent les actions des hommes. Et comme les problèmes occupent surtout une place en profondeur dans l'histoire du monde, c'est un champ de vaste envergure qui reste offert à Corneille, et qu'il a parcouru.

VI

La vérité est que Racine peint les hommes tels qu'ils ne doivent pas être sous peine de trop souffrir, et Corneille tels qu'ils sont le plus souvent dans la vie. «Les êtres que nous sommes», oui, Péguy a raison. Car le surhumain de Corneille est plus proche qu'on ne croit de l'ordinaire humain, où les gens sont plus aptes à faire des choses qui les dépassent, au moins un peu, qu'à se pencher sans vertige sur leur mystère intérieur. (Ce qu'à l'exemple de Corneille la plupart des Français évitent avec soin. Et ce qui fait que, malgré ses défauts et ses faiblesses, Corneille garde jusqu'à la fin de sa vie et de son œuvre un fidèle public dont la bonne Sévigné est le modèle.)

La puissance subjective de Racine est incomparable. Voyez comme, chez ses personnages, les évocations des nostalgies les plus lointaines se replient douloureusement sur de secrètes blessures: «Dans l'Orient désert, quel devint *mon* ennui» (*Bérénice*, I, 4, 234), «Ariane, *ma* sœur» (*Phèdre*, I, 3, 253) . . . Le culte du moi chante dans des âmes plaintives, et il convie l'univers à lui fournir des résonances. La tragédie la plus racinienne, *Bérénice*, est celle où l'un des plus grands objets du monde, l'Empire romain, est enfermé dans la vie de deux cœurs qu'il ravage. Dans la tragédie la plus cornélienne, *Horace*, la même Rome sert à projeter hors d'eux-mêmes les cœurs de tous les héros.

Mais si l'on aborde cette magnificence avec laquelle Corneille développe les activités externes de l'humanité, il faut dépasser les quatre ou cinq chefs-d'œuvre pratiqués couramment. Ne disons pas trop qu'il y a du déchet dans l'œuvre de Corneille. Sa vérité est trahie par son théâtre choisi. Son objectivité vaut par la richesse des objets qu'il s'est annexés, et qui sont, en vérité, tout ce qui peut correspondre dans le monde à un désir fécond de notre être. Il n'y a pas, dans l'histoire, assez de rois, d'empereurs, de généraux, de conquérants, pour lui fournir les spectacles qu'il ne cessera de monter. Pas assez d'hommes, moins dévorés que soutenus par l'ambition, le courage, le sentiment de l'honneur, le dévouement à la patrie, l'émulation pour un noble idéal. Rien ne l'arrête dans cette course aux trophées qu'il enlève à la pointe de la plume à travers l'histoire, de Rome à Byzance, de Carthage en Asie. Racine, après avoir creusé dans sept tragédies une angoisse intérieure, qui ne fait que s'aggraver d'Hermione à Phèdre, s'arrête quand il a touché le fond. Corneille n'atteint jamais les limites de l'étendue où la vie de la terre s'épanouit et se répercute. Si on le rebute, il repart (deux fois, après *Pertharite* et après *Attila*). Il change de registre, de rythme, de climat, comme fait la nature, qui trouve le moyen de fleurir dans toutes les conditions qu'on lui fait. Il renouvelle son génie à force d'ingéniosité, et plus encore par l'incroyable fraîcheur sans laquelle il n'y a pas de vraie fécondité. (On ne sait pas assez qu'*Agésilas*, calomnié par l'épigramme de Boileau, est un de ces miracles de renouvellement.) Quand on croit qu'il succombe sous le fatras qu'il a amoncelé de ses propres mains, il frappe en formules qui ne sont qu'à lui les plus beaux aspects du caractère des hommes dans l'histoire universelle. Racine ne cesse d'évoquer une voix du dedans dont le trouble s'accroît à ses propres échos. Le génie poétique de Corneille ne cesse de créer de nouvelles figures du monde. Il semble qu'il fasse à son contemporain Descartes une réplique éclatante et sonore, car il s'écrie par chacun de ses personnages: «Je chante, donc je suis.»

VII

Les êtres que nous sommes, c'est à vrai dire, pour une bonne part, ceux que nous voulons être. En ce sens, La Bruyère avait raison. La vérité objective contient plus ou moins de vérité voulue. Corneille est le poète de cette volonté.

C'est pourquoi la littérature morale l'a pris pour champion. La littérature morale se jette sur *Horace*, où elle établit le plus facilement ses exemples et ses démonstrations. Et certes, *Horace*, avec tout ce qui est de la même veine, représente Corneille puissamment. Certes aussi, cette espèce d'héroïsme absolu, où l'homme se réalise d'autant plus magnifiquement qu'il s'oublie davantage, convient tout à fait à la tendance de Corneille, qui est de se détourner des problèmes pour s'évader dans de beaux actes. Péguy exprime cela fort bien, quand il dit de Corneille à propos de *Polyeucte*: «Il nous a laissé ce qui avait besoin d'explication . . . Il a pris les *facilités* du martyre».

Entendons-nous sur ces facilités. Il faut être poète soi-même, comme Péguy, pour oser prononcer ce mot. On pourra dire que ce sont les facilités de l'âme pour résoudre les difficultés offertes à l'être. Et la première de ces facilités, avant d'en venir au martyre, est précisément la facilité du poète: la poésie pouvant être la facilité par où l'âme se donne le bonheur de se réaliser dans l'illusion verbale. En ce sens, Corneille est au premier rang de nos poètes. Il est le plus audacieux, il est capable d'être le plus fou. Il est poète de théâtre, parce que le théâtre double la poésie d'une autre facilité, pour qui veut réaliser l'homme hors de l'humanité; parce que le théâtre porte la poésie à une autre dimension et l'installe au pays des merveilles.

Sur ce plan, Corneille est le frère aîné de Musset, dont le nom est déjà venu sous notre plume à son propos. Comme Musset (ou plutôt comme serait Musset si les problèmes de l'amour ne faisaient pas chez lui leur bruit de cœur brisé sous la fantaisie de la vie), il met les rêves de l'âme en feux d'artifices. Comme lui, il écrit des drames qui recèlent facilement un je ne sais quoi de comique, et ses tragédies sont souvent, plus ou moins, des tragi-comédies. En ce sens, notre grand comique n'est pas Molière, ce douloureux poète de la nature de l'homme, c'est Corneille. Il est l'auteur d'une «comédie humaine» jouée de façon bien plus éclatante que par Balzac, d'une comédie humaine projetée et développée sur le plan où un autre poète a parlé de «divine comédie». Il

est un comique lyrique, qui met la comédie humaine en tirades et en
stances. Pour achever de faire le tour des comparaisons prestigieuses qui
aident à situer Corneille sur la scène littéraire, disons que si une œuvre
de poète dramatique français offre certains aspects comparables à
l'œuvre de Shakespeare, c'est plus encore que celle de Musset, celle de
Corneille.

VIII

Donnons-en la preuve. Non une preuve éclatante, mais une preuve
interne. Non par une comparaison du Corneille romain avec *Jules César*
ou avec *Antoine et Cléopâtre*, mais par une référence à une scène
d'*Hamlet*. Corneille est un des poètes de théâtre qui ont osé mettre sur le
théâtre la poésie élevée à une puissance absolue par la représentation
d'elle-même, un de ceux qui ont projeté l'image à l'état pur, la grimace
dans le miroir, un de ceux qui ont fait jouer le théâtre du théâtre, en
écrivant la scène des comédiens. Y en a-t-il beaucoup d'autres que
Shakespeare et lui? (Je n'oublie pas l'*Impromptu de Versailles*. Ce n'est
pas le même chose, c'est le théâtre ouvert sur la vie, alors qu'il s'agit ici
de la vie portée par le théâtre à son extrême point de décantation, en
même temps que d'incantation).

C'est au dernier acte de l'*Illusion comique*. Déjà, dans les actes
précédents de cette pièce extraordinaire, les personnages ont été si bien
sublimés de la vie dans le merveilleux, que Corneille nous avise qu' «il y
en a même un qui n'a d'être que dans l'imagination» («Examen»). Les
autres l'y rejoignent, et la pièce finit dans le théâtre pur: comme dans
Hamlet, les personnages de la comédie jouent la comédie. Comment une
telle pièce a-t-elle gardé l'un des plus chers secrets de Corneille dans une
ombre où durant longtemps personne n'est allé la découvrir? Pourtant
Corneille lui-même fait entendre sa voix quand le rideau va tomber sur
ce finale. Que dis-je! C'est la voix du meneur de jeu qui s'exprime, la
voix du montreur de marionnettes, la voix du poète qui révèle l'étrange
bonheur de la poésie dramatique, qui chante la joie créatrice de
représenter la vie des hommes par un jeu d'acteur.

> L'un tue et l'autre meurt, l'autre vous fait pitié;
> Mais la scène préside à leur inimitié.
>
> (*V, 5, 1619–1620*)

Ne dites pas que ces vers ne valent point «l'essaim chantant d'histrions en voyage» de la *Tristesse d'Olympio*. S'ils sont un peu démunis de charme et d'éclat quand on les isole du contexte, et plus encore du jeu de scène, ils vont plus loin, en ce sens qu'ils évoquent avec précision le miracle essentiel du théâtre, miracle non plus littéraire, mais moral, qui est d'exprimer la vérité par le mensonge. Miracle dont Corneille va donner la formule dans le vers suivant, par un hémistiche admirable:

> Leurs vers font leurs combats . . .
>
> *(V, 5, 1621)*

Je dirais presque que tout Corneille est là, et définit lui-même son œuvre dans cette formule, Corneille qui a réussi à produire un théâtre héroïque, où l'héroïsme naît des artifices du théâtre et du verbe.

IX

L'élan verbal et l'élan moral ne font qu'un dans la poésie corné-lienne. Est-il même sûr que le premier ne mette pas le second en mouvement, comme il arrive dans ces expansives natures d'hommes qui mènent leur cœur par leurs gestes et leurs mots? Il faut bien remarquer qu'en fait, Matamore précède le Cid dans l'œuvre de Corneille. Et je crois que chez lui le théâtre précède la vie plutôt qu'il ne la reflète. Le titre l'*Illusion comique* est celui qu'il donne d'abord à la pièce qu'il appellera finalement l'*Illusion* tout court. Le théâtre chez Corneille joue à plein sa fonction, qui est d'ouvrir les yeux des hommes sur le théâtre de la vie.

C'est pourquoi il déborde de ces coups de théâtre et de ces complications qu'il est absurde de reprocher à Corneille. Autant lui reprocher d'être lui-même, d'être magnifiquement tourné vers tous les mouvements de la vie par lesquels l'homme se donne illusion à lui-même. L'intrigue dramatique est de ce point de vue une forme de la création poétique. C'est une de celles par où le génie du poète Corneille satisfait sa nature avec exubérance.

Il ne la satisfait pas moins par les images où il excelle, et qui sont des images de la vie en action aussi. Qu'est-ce que la vie en action dans l'ordre d'ici-bas? Un enivrant mélange de mouvements de notre être, et de collaboration, à demi réelle, à demi imaginaire, avec les forces de la nature. Un homme d'action est celui qui fait souffler le vent dans ses voiles. Tel, littéralement, le héros de Corneille. Tel César dans la *Mort de Pompée:*

> Sa flotte qu'à l'envi favorisait Neptune,
> Avait le vent en poupe ainsi que sa fortune.
>
> (*III, 1, 745-746*)

Tel le Cid, à qui la mer et la nuit complices apportent l'ennemi au bout de son épée:

> Cette obscure clarté qui tombe des étoiles
> Enfin avec le flot nous fait voir trente voiles;
> L'onde s'enfle dessous et, d'un commun effort
> Les Mores et la mer montent jusques au port.
>
> (*IV, 3, 1273-1276*)

Ce que ces vers prestigieux et célèbres ont d'admirablement cornélien, ce qui fait leur ton et leur métal, c'est cet accent de roi de la terre avec lequel on voit l'homme commander aux puissances de la terre. La musique du langage participe avec une sorte d'ivresse au «commun effort» qui fait bouillonner la mer pour jeter les Barbaresques dans la bataille. Si la grande allure des vers ne faisait pas remuer le panache sur le casque du héros, on ne se défendrait pas tout à fait de l'idée sacrilège de songer à Marius ou à Tartarin. Mais l'envolée poétique tourne tout vers la grandeur. Le flux qui sert le bras du Cid, c'est presque une réplique au soleil obéissant à Josué. «A moi les astres et le ciel, à moi toute la terre!» Et l'on sait bien que c'est l'éternel appel de l'homme à la nature. Seuls, les mobiles de l'homme varient. Un saint François d'Assise pousse ce cri par amour. Corneille, c'est par splendeur d'âme.

Les forces intérieures de l'homme sont projetées dans ce jeu avec un pouvoir de détachement qui rend très difficile à discerner ce qu'il entre d'imaginaire et ce qui est réel dans leur action. Le souffle de l'homme, son sang, son cœur, sont des acteurs du combat lyrique comme sa voix et comme son bras, comme son épée même et sa cuirasse. Tout prend corps, dans la poésie cornélienne, pour les figures les plus éclatantes que la terre puisse porter. Cette sorte d'incarnation poétique des invisibles réalités humaines est à l'origine des faux pas que commet le génie de Corneille, quand le mauvais goût chez lui le dispute au sublime. Il imagine si fort les mouvements de l'âme mis en action plastique, qu'il ne distingue pas, dans l'évocation de tels tableaux, ce qui choque le goût de ce qui emporte l'enthousiasme. Quand il écrit ce vers déplaisant du *Cid:*

> Ce sang qui tout sorti fume encor de courroux
>
> (*II, 8, 663*)

ou ces vers incroyablement beaux pour peindre Pompée décapité:

> Sa bouche encore ouverte et sa vie égarée
> Rappellent sa grande âme à peine séparée.
>
> (*III, 1, 765–766*)

c'est le même poète. Toutes les images lui sont bonnes pour l'incorporation de la vie dans les formules verbales. C'est de toute la pente de son génie, qu'il tombe dans les chances inégales du bonheur et du malheur d'expression.

Car les mots eux-mêmes entrent dans ce jeu de conquête du monde par des élans de l'homme: les mots qui sonnent comme des médailles quand Corneille les fait tinter à la rime. Péguy s'est livré à l'inventaire des rimes cornéliennes, avec la joie que donne au poète le toucher des mots, des syllabes, où l'homme met en forme l'idée de lui-même. Les rimes cornéliennes ont le son de la voix de Corneille et la couleur de son esprit: *bonheur, honneur — Rome, homme —* et puis les rimes en *ort,* on voudrait dire les rimes en essor, qui sont comme les trompettes de l'âme. Le mot *mort* fait vibrer dans leur chœur son éclat grave (mais non son éclat triste chez Corneille). Péguy dénombre les autres mots de cuivre qui viennent à l'appel du poète pour entrer en harmonie avec celui-là: *sort,* naturellement, parce qu'on ne voudrait pas que dans une telle musique on n'entendît pas les coups du destin; puis *effort,* car la volonté de l'homme cornélien ne se dérobe pas au grand but de toute vie; *port* enfin, car la vie cornélienne débouche naturellement dans la survie: *inveni portum.*

Le *sort* est magnifié dans *Horace:*

> Mourir pour le pays est un si digne sort,
> Qu'on briguerait en foule une si belle mort.
>
> (*II, 3, 441–442*)

L'effort est proposé dans *Polyeucte* comme un objet d'émulation incomparable:

> Dieu même a craint la mort.
> Il s'est offert pourtant: suivons ce saint effort.
>
> (*II, 6, 683–684*)

(Faut-il relever, en passant, la merveilleuse contre-assonance *offert, effort:* la Rédemption dans une musique de syllabes?)

Encore dans *Polyeucte*, enfin, s'ouvre le port où la vie terrestre va jeter l'ancre:

> Du premier coup de vent il me conduit au port,
> Et, sortant du baptême, il m'envoie à la mort.
>
> (*IV, 3, 1229–1230*)

Mais déjà dans *le Cid*, les rimes *port* et *mort* avaient fait entendre leur suggestion sublime. Et le plus beau, c'est que là l'image du port avait ce corps réel qui est pour Corneille la suprême réussite littéraire et morale. C'est moins une image qu'une peinture directe: le port, un vrai port, est le lieu de l'exploit extraordinaire où il semble que Rodrigue défie la vérité autant que les ennemis. A trois reprises, avec sa magie de vocable en *ort*, ce mot ponctue le récit de l'invraisemblable aventure. Au début:

> Nous partîmes cinq cents; mais par un prompt renfort
> Nous nous vîmes trois mille en arrivant au port.
>
> (*IV, 3, 1259–1260*)

Au nœud de l'action:

> L'onde s'enfle dessous, et d'un commun effort
> Les Mores et la mer montent jusques au port.
>
> (*IV, 3, 1275–1276*)

Jusqu'au finale, toutes trompettes déchaînées:

> Et la terre, et le fleuve, et leur flotte, et le port,
> Sont des champs de carnage où triomphe la mort.
>
> (*IV, 3, 1299–1300*)

Alors la mort elle-même entre en fanfare, aux lieux où elle couronne superbement le grand jeu de la conquête du monde. Conquête d'une réalité sublime par l'exercice d'illusions héroïques: ce peut être la même définition pour la vie et la mort dans l'humanité cornélienne. D'un bout à l'autre de Corneille, les mots, les idées et les actes rivalisent pour accomplir l'épopée du mensonge héroïque.

X

Ce qu'il faut arriver à dire, c'est que le mensonge héroïque est au centre de Corneille, qu'il anime et commande toute son œuvre; le mensonge héroïque ou, si l'on veut, le jeu que l'homme joue par vertu, par noblesse et générosité. C'est le jeu où une sorte de charité parfois supérieure, parfois excessive, parfois même fantaisiste, s'exerce aux dépens du jeu inverse, du jeu sévère et inexorable de la vérité — qui sera le jeu de Racine.

C'est pourquoi la pièce qui révèle le mieux Corneille est probablement *le Menteur*, que Péguy n'a pas craint de mettre en parallèle avec *le Cid*. «*Le Cid*, écrit-il, est la tragédie du noble jeu comme *le Menteur* est parallèlement et conjointement la comédie du noble jeu.» C'est très vrai. Le Menteur ne ment point par vice; encore moins pour déformer le visage de l'univers au gré d'un calcul intéressé. Il ment pour peupler le monde d'actes imaginaires, plus beaux que ceux qu'il aurait la faculté d'accomplir. S'il invente des actions magnifiques, c'est probablement faute d'avoir pu réaliser des tours de force, comme Rodrigue qui défait les Mores en une nuit. C'est que, faute de combler d'épouvante et Grenade et Tolède, il doit se contenter d'être venu de Poitiers, comme Corneille est venu de Rouen. Si Matamore est l'envers du Cid, Dorante en est la réplique. Le Menteur ment par optimisme, par magnificence, revenons à ce mot, afin de donner à l'humanité, serait-ce en fausse monnaie, assez de surhumain pour l'embellir. Les mensonges de Dorante ne diminuent pas sa qualité d'âme:

> Dès lors, à cela près, vous étiez en estime
> D'avoir une âme noble, et grande, et magnanime,
> *(La Suite du Menteur. II, 4, 623–624)*

lui dit Cliton.[3] Ne nous étonnons pas que Corneille en fasse un personnage plaisant et sympathique: le Menteur, c'est l'expression allègre du

---

[3] The verses are actually spoken by Philiste. (RJN)

génie même de Corneille, de ce que Mme de Sévigné appelle avec
dilection son goût pour les choses «qui étonnent, qui enlèvent, qui font
frissonner».

Et ne séparons pas *le Menteur* de *la Suite du Menteur*, où le
mensonge est mis nettement cette fois au service de la vertu:

Et vous savez mentir par générosité

(III, 5, 1167)

dit alors Cliton à Dorante. M. Jean Schlumberger regrette que Corneille
n'ait pas trouvé là l'occasion d'élucider la notion du mensonge héroïque.
C'était, à vrai dire, un trop vaste problème pour cet homme qui fuyait
les problèmes. Entre *le Menteur*, comédie humaine du mensonge social,
et la *Suite du Menteur*, comédie plus grave du mensonge à tendance
héroïque, s'ouvre toute la question de la place du mensonge dans notre
vie.

Qui dira, en effet, la part du mensonge dans presque chacun de nos
actes, dans presque chacune de nos paroles? Dans le coup de fer, non au
feutre de Dorante, mais au chapeau de chacun de nous, alors que la
vérité est poussière sur nous et en nous? Dans la joie de nous promener à
«l'air doux des Tuileries», quand nous avançons, chaque minute, le long
du chemin qui va sous terre? Dans ces saluts, ces gestes, ces mots que
nous prodiguons, alors que la vérité est le frottement des indifférences et
des égoïsmes? Dans l'amour enfin, ce mensonge héroïque de la solitude?
Mais ce mensonge-là est la vie. Et sous cet aspect-là, l'amour propose à
tous les hommes un peu d'héroïsme possible.

Le Menteur et *la Suite du Menteur* sont une des clefs de Corneille; ils
nous montrent comment le surhumain se forme dans l'exercice même de
la comédie humaine. Nous avons déjà dit, d'ailleurs, que le surhumain
ne nous intéresserait pas tant s'il était exceptionnel à l'ordre de la vie.
Les êtres que nous sommes les héros cornéliens s'en échappent moins
qu'ils n'en ont la réputation.

XI

Le mensonge héroïque est une forme du don de soi. C'est ce qui
permet à Corneille de l'exalter. Ici, une nouvelle remarque s'impose.
C'est que le mensonge héroïque ne va pas sans un partenaire. Si le

mensonge valeureux peut être une forme de la générosité, c'est à condition qu'il serve un objet. Il n'est pas valable sans dialogue, sans un élan donné, puis reçu par autrui. Le mensonge peut être une vertu sociale. De soi-même à soi-même, il n'est jamais qu'un vice, le pire de tous, celui qui nous altère nous-même par l'œuvre de nous-même.

C'est pourquoi on ne doit pas considérer du tout Corneille et Racine du même point de vue, ni sur le même plan. Corneille opère sur le plan de la charité, où tout est relatif parce que tout y est objectif. Racine se concentre sur le plan de la vérité, où le subjectif ne redoute pas l'absolu. De part et d'autre du drame de l'amour, qui est le grand drame humain, ils prennent deux voies opposées. L'amour, avons-nous dit, mensonge héroïque de la solitude. Corneille drape la solitude d'autant de mensonges qu'il faut pour ne plus la voir. Racine dissout le mensonge pour arriver à goûter l'âcre saveur de la solitude.

L'un et l'autre de nos deux grands tragiques ont fait une comédie qui a sa place dans nos lettres classiques, et qui est une comédie révélatrice de chacun d'eux. Et l'un ne pourrait pas échanger sa comédie avec l'autre. Jamais Racine n'aurait pu faire une comédie plaisante sur le sujet du *Menteur*, jamais un héros sympathique avec le personnage du Menteur. Mais il a poussé jusqu'à la farce la comédie des *Plaideurs*, qui est la comédie des ces menteurs professionnels que sont les avocats. Et jamais Corneille n'aurait pu railler les plaideurs dans une comédie, car la plaidoirie est pour lui un acte assez grand et assez beau pour qu'il en remplisse ses tragédies. Ne disons pas, comme on le répète trop souvent, que son théâtre est fait d'éloquence avocassière. Ce serait voir les choses en surface. Souvenons-nous plutôt qu'au Palais le mot *action* est synonyme du mot *procès*, et que cela est l'image de la vie. En ce sens, le duel oratoire qu'est la plaidoirie prolonge, dans les solennités judiciaires, le duel incessant qui est la norme des actions humaines dans la bataille de la vie. *Duellum, duo, bellum, bis*, écrit Péguy, c'est le même mot: «La guerre, c'est ce que l'on fait quand on est deux», — autrement dit, tout ce qui s'accomplit dans la vie sociale, à commencer par l'amour. C'est pourquoi Corneille, poète de la vie sociale, est le poète du duel, et de la plaidoirie, ce duel moral. Le duel de Rodrigue et du père de Chimène se poursuit dans la plaidoirie amoureuse de Chimène contre Rodrigue. *Horace* met en œuvre toutes les complications qui se nouent autour d'un triple duel. *Cinna* est un duel politique qui s'achève en plaidoirie. Polyeucte livre à Sévère un assaut de générosité. Duel, dialogue, théâtre, c'est la même chose chez Corneille. Et c'est la même chose, au fond, que dans la vie, où les êtres que nous sommes s'affrontent, s'aiment, se dévorent. C'est la même chose que dans la vie guerrière qu'est la vie quotidienne, dans les combats que sont tous les travaux.

Cela ne cesserait d'être la même chose que si l'on se détournait de la guerre terrestre, pour tâcher d'entrer dans la paix difficile que certains hommes s'efforcent d'atteindre dès ici-bas, quand ils orientent vers la sérénité éternelle l'activité intérieure de leur solitude.

Il y a deux espèces d'hommes, les conquérants et les théologiens. Corneille est un conquérant, Racine est un théologien.

XII

J'entends et j'attends la question. Et *Polyeucte*? Que faites-vous de *Polyeucte*, tragédie de la grâce de Dieu? Je répondrai d'abord que Dieu n'est pas réservé aux théologiens, qu'il y a aussi des saints conquérants, pour qui la paix éternelle est au terme de la guerre terrestre. Polyeucte est de ceux-là.

En regard de *Polyeucte*, dernière des grandes tragédies classées de Corneille, et suprême tragédie conquérante, celle de la conquête de Dieu, la tragédie théologienne par excellence dans le théâtre de Racine est *Phèdre*, dernière du premier cycle racinien, et qui a plu au grand Arnaud, le maître théologien de Port-Royal. Si l'on christianise, comme le fit Arnaud, l'âme inquiète de Phèdre, il est aisé de retrouver dans un examen parallèle de *Phèdre* et de *Polyeucte* les deux courants en sens contraire que suivent l'âme de Racine et celle de Corneille. Quand Phèdre invoque «ce sacré Soleil dont je suis descendue» (*IV, 6, 1274*), si Dieu vit dans cette image du Soleil, on pourra dire que Phèdre tourne vers son moi la présence de Dieu, comme nous avons vu que Bérénice tourne vers son moi la présence de Rome. Phèdre intériorise l'idée de Dieu. Dans *Polyeucte*, au contraire, le cri de Pauline, «Je vois, je sais, je crois» (*V, 5, 1727*), est un cri qui extériorise un cœur vers le Dieu qu'il reconnaît. Ne cherchez pas à savoir laquelle de ces deux âmes est la plus religieuse: c'est la question autour de laquelle toutes les guerres de religion se sont livrées.

Mais de part et d'autre, c'est bien la suprême tragédie, au bord de l'abîme religieux. De part et d'autre se pose la question du salut de l'homme sous la forme du dilemme: être avec ou contre Dieu. C'est la question qui jette Phèdre dans l'épouvante, quand elle prononce l'exclamation que nous venons de citer:

> Misérable! et je vis! et je soutiens la vue
> De ce sacré Soleil dont je suis descendue?
> J'ai pour aïeul le père et le maître des dieux;
> Le ciel, tout l'univers est plein de mes aïeux.
> Où me cacher? Fuyons dans la nuit infernale.
> Mais que dis-je? mon père y tient l'urne fatale.
>
> (*IV*, *6*, *1273–1278*)

Ces cris d'un enfant du ciel et de la terre qui s'affole à l'idée d'être un enfant perdu, remplacez-y seulement la filiation mythologique par la réalité incluse dans les mots «Notre Père qui êtes aux cieux», et l'angoisse de Phèdre n'est rien d'autre que celle de la créature dont la foi est terrifiée, quand elle s'avise qu'elle a fait cohabiter dans son propre cœur la présence du péché et la présence de Dieu. Au terme de la plongée dans le vérité humaine, Racine se trouve face à face avec la vérité divine.

Et c'est le même tête-à-tête qui s'offre finalement à Corneille, au terme de sa conquête de l'univers humain, parce qu'il n'y a pas deux christianismes, et que Dieu est le même pour tous ceux qui le reconnaissent et l'adorent. C'est la même question redoutable que Corneille pose à la créature humaine: Dieu, présent dans la vie de l'homme, exige-t-il tout de l'homme? C'est la question que balance le dialogue de Pauline et de Polyeucte:

> — Imaginations!
> — Célestes vérités!
> — Etrange aveuglement!
> — Eternelles clartés!
> — Tu préfères la mort à l'amour de Pauline!
> — Vous préférez le monde à la bonté divine!
>
> (*IV*, *3*, *1285–1288*)

Seulement prenons garde alors que tout le problème cornélien se pose de nouveau du même coup, et demande à être résolu cette fois de façon totale. Il s'agit, pour le cornélien céleste offert par *Polyeucte*, de dénouer le cornélien terrestre. Mensonge héroïque, avons-nous dit, que le cornélien terrestre, car telle est la condition humaine. Hé quoi! mensonge? objecte Pauline. Est-ce là un but pour un héros? A quoi le héros doit répondre, sous peine d'être un faux héros, que le mensonge héroïque est souverainement justifié, parce qu'il est au service d'une immatérielle, lumineuse et sublime vérité.

XIII

Il faut revenir ici au mythe de Don Quichotte, et l'élucider à fond. Le mensonge héroïque est aussi l'objet de la vie de Don Quichotte, qui lutte pour des illusions, qui se bat contre des moulins à vent. Mais la vérité est aussi le but essentiel de ces mensonges valeureux. Don Quichotte se bat contre les moulins, mais pour une idée. Si on veut le justifier, il faut savoir ce qui a le plus de réalité: l'idée, ou l'objet à travers lequel on peut la servir.

Or ce sont les idées qui demeurent, avec une pureté et une solidité inaltérables, au-dessus des objets que les atteintes du temps, les incertitudes de notre perception, les illusions de notre sensibilité, les pauvres limites de notre intelligence rendent fragiles, caducs, douteux, vains souvent, et parfois sans existence réelle. Nous vivons parmi des moulins à vent et des mirages. Nous nous faisons de surprenantes images de la réalité des choses. Les arbres que nous croyons le plus fortement enracinés et dont nous admirons les cimes moutonneuses, mais dont la nature chaque jour dévore la substance, n'ont peut-être pas une réalité beaucoup plus certaine que les nuages dont le vent fait et défait les architectures. Et cette chair même que notre âme anime, ces pieds qui nous portent, ce sang qui nous nourrit, et toute cette vie dont nous venons et qui nous continuera, que d'illusions en elle, qui s'y renouvellent, y foisonnent, y font étendue et volume! Le mensonge est le tissu de la vie terrestre. Mais il n'est héroïque que parce que des idées y vivent avec nous. Les idées sont les réalités de la vie des hommes. Ce serait une duperie que de se battre pour une cité matérielle, dont les murs ne sont pas plus immortels que notre corps, et dont les pierres seront réduites en poudre par le temps qui ne les ménagera pas beaucoup plus qu'il ne ménagera nos os. Faire périr ce corps mortel pour ces pierres mortelles, c'est immoler une ombre à une ombre. Mais sacrifier sa vie à l'idée de la cité, à la patrie, c'est rentrer dans l'idéal, donc dans le réel, c'est résoudre à la fois l'illusion par l'héroïsme, le mensonge par la vérité, ce qui meurt par ce qui est impérissable. Ainsi font les héros d'*Horace*, ainsi font, à leur suite et à leur exemple, tous les héros de Corneille.

Les idées sont les réalités de leur vie, parce qu'ils vivent avec une pleine noblesse la vie de l'homme, dont la nature est seule à se dégager, grâce aux idées, des illusions où le reste de la nature déroule son aveugle effort. Les êtres que nous sommes le sont par la vertu des idées. Et dans la réalité idéale, Polyeucte atteint le sommet, puisqu'il se jette dans la Vérité et dans la Réalité suprême, qui est Dieu. Si *le Cid* est la réplique héroïque du *Menteur*, *Polyeucte* en est la solution radieuse. *Polyeucte* dénoue l'œuvre de Corneille vers la vérité qui en est la lumière supérieure et surnaturelle, comme la lumière du soleil domine et conditionne la vie des ombres terrestres. Si, parmi les héros de Corneille, il n'y en avait pas un qui embrassât la vérité de la Grâce pour éclairer d'une lumière certaine le monde de l'illusion et du mensonge, il ne resterait plus au héros de Corneille qu'à courir la redoutable aventure de devenir un héros de Racine et de chercher la lumière au sein de ses ombres propres. Et la Grâce lui serait encore plus nécessaire pour éclairer ses ténèbres intérieures. Seulement, il aurait peut-être plus de mal à la trouver.

Or Polyeucte, lui, fait déboucher avec une facilité incroyable, cette «facilité du martyre» dont a parlé Péguy, l'aventure du mensonge héroïque sur l'entrée dans la vérité. Tout se passe comme si la disposition à la vérité était au revers de l'étoffe humaine, dont la surface est brodée d'illusions. Il suffit, pour retourner l'étoffe, qu'intervienne une idée qui a la force d'une réalité sublime. Polyeucte le dit:

> Saintes douceurs du ciel, Adorables idées,
> Vous remplissez un cœur qui vous peut recevoir.
>
> *(IV, 2, 1145–1146)*

Les moulins sont renversés. Le vent qui faisait tourner leurs ailes et qui est le souffle de Dieu même, se fond avec l'âme de Don Quichotte en une union exquise. Don Quichotte est transfiguré par le quichottisme parfait. Par le surhumain, l'humain s'épanouit dans le divin.

XIV

Reviendrons-nous, pour finir, à l'essentiel de la vie terrestre, qui est l'amour humain? Nous demanderons-nous pourquoi Corneille, qui a résolu triomphalement toutes les vanités des choses par la force des idées, n'a pas résolu la vie de l'amour, fallacieuse entre toutes, par l'idée de l'amour? Homme sans problèmes, mais homme de solutions, c'est pourquoi il est superbement poète. Mais personne n'oserait le comparer à Racine comme poète de l'amour. Pourquoi semble-t-il que la clef de Corneille, qui ouvre merveilleusement tout le reste du monde humain, n'ose même pas s'approcher de la serrure quand c'est l'amour humain qui l'a fermée?

Tout simplement, l'idée de l'amour humain est celle qui échappe le plus, depuis qu'il y a des hommes et qui aiment, à l'effort des philosophes et des poètes. L'idée de l'amour n'a peut-être qu'un nom, qui est mystère. Peut-être, si l'on voulait situer ce mystère dans le cadre de l'existence terrestre, faudrait-il se souvenir de ce que nous avons dit de la charité et de la vérité, qui ne s'exercent pas dans le même sens ici-bas: la charité ne s'accomplissant que dans le relatif, la vérité n'ayant de satisfaction qu'en avançant vers l'absolu. Or, l'amour humain est le troublant mélange de ces deux efforts. Et il serait ce qu'il y a de plus fou dans la condition terrestre, s'il n'était pas ce qu'il y a finalement de plus héroïque. Car ce qu'il tend à réaliser dès ce monde avec une confiance merveilleuse dans l'impossible, c'est ce qui ne sera réalisable qu'hors de ce monde: la rencontre de la charité et de la vérité étant sans doute la réalité transcendante qui fixe hors du temps la certitude du bonheur. Mais, dans la vie mortelle, elle n'apparaît que comme le feu d'une espérance, un scintillement d'étoile dans un mouvement de feuillages. Elle est le bonheur idéal que le regard croit toucher, mais que la main n'atteint guère, car à peine deux cœurs confondus ont-ils cru s'évader dans l'éternel qu'ils retombent sous la condition de la chair et du temps.

Tantôt les poètes entrent dans ce mystère pour en remuer les charmes ténébreux, pour en évoquer le trouble exquis et redoutable. Ainsi Racine. Tantôt ils se tiennent au bord, comme à la limite d'un sol sacré que l'impuissance humaine révère et ne profane point. Ainsi Corneille, dont nous avons cité le mot: «Le cœur n'appartient qu'aux dieux.» Là, les poètes de l'amour s'efforcent d'en être les devins. Ici, ils accomplissent les gestes du grand-prêtre, avec une piété soumise à la souveraineté du mystère. Corneille, dans cette attitude, n'est ni infidèle à sa vocation d'idéaliste, ni un des moindres poètes de l'amour.

Il est le poète qui garde à l'amour sa valeur de secret intact. Il nous fait saisir en lui, avec tout ce qu'on y voit briller de forte pureté, un sortilège qui tient pour beaucoup à ce que le poète ne tente pas de forcer l'indicible. Il obtient, par le respect même qu'il témoigne au secret de l'amour, qu'il nous paraisse limpide et dur comme celui du cristal. C'est le

> Va, je ne te hais point. — Tu le dois. — Je ne puis.
>
> (*III, 4, 963*)

du *Cid*, auquel fait écho, tout à la fin de l'œuvre, cet adorable vers d'amoureuse dans *Suréna*:

> Notre adieu ne fut point un adieu d'ennemis.
>
> (*I, 1, 80*)

C'est cet aveu de l'autorité que l'amour prend dans la vie des hommes, cette reconnaissance de l'esprit qu'il inspire aux êtres par le chemin du cœur:

> Le véritable amour, dès que le cœur soupire,
> Instruit en un moment de tout ce qu'on doit dire.
>
> (*Suréna. II, 2, 485–486*)

C'est même la reconnaissance que le Ciel est présent dans ce mystère des vies humaines qui se nouent:

> Quand les ordres du Ciel nous ont fait l'un pour l'autre,
> Lyse, c'est un accord bientôt fait que le nôtre.
>
> (*La Suite du Menteur. IV, 1, 1221–1222*)

Alors, cette réserve même de Corneille devant la grandeur terrible de l'amour, cette volonté, chez Corneille, de s'abstraire de ce qui tient le plus de place dans la peine et le bonheur des hommes, ajoute peut-être à son génie. Nous y avons vu, pour commencer, une absence dans son œuvre. Ne dira-t-on pas, pour finir, que dans le poème éclatant où un incroyable concert de sonorités exprime le tumulte des œuvres humaines, Corneille a donné à l'amour la plus juste part, qui est aussi en poésie la plus précieuse, en lui offrant l'hommage du silence?

Roger Caillois

1913 -

AMOUR CORNÉLIEN, AMOUR RACINIEN

TOUCHANT L'AMOUR EN EFFET, la tradition littéraire en France, comme la sensibilité générale du public, est uniformément racinienne. Les chefs-d'œuvre dûment accrédités du roman d'amour, *Manon Lescaut*, *Carmen* ou *Sapho* appartiennent tous à la lignée de *Phèdre* et décrivent la fatalité d'une passion qui triomphe de toutes les résistances et excuse tous les désordres. Renchérissant encore, le Romantisme fit de l'amoureux la victime irresponsable d'un appel impérieux des sens ou du cœur et la peinture de l'amour n'a jamais été, dans ces conditions, que celle des succès sans gloire ou des échecs imprévus d'une impulsion qui ne trouvait dans l'être intime des amants aucune force capable ou simplement désireuse de la restreindre ou de la contrarier. C'est pourquoi «la lutte de la passion admirable contre la vie sordide», contre les préjugés moraux ou les difficultés matérielles de l'existence, tous problèmes que l'amour ne pose pas nécessairement, qui ne tiennent pas à

From "Un Roman cornélien" in La Nouvelle Revue Française, *Vol. L (March, 1938). Reprinted by permission of* La Nouvelle Revue Française. *Title supplied by RJN.*

sa nature et contre quoi se cabre immanquablement le cœur, apparaît au premier abord le seul aspect concevable du conflit des choses de l'amour et de l'honnêteté. Aussi celui-ci ne semble plus, à la réflexion, l'invention d'un rêveur inutile, mais la conséquence immédiate de la psychologie amoureuse en faveur depuis Racine. Que cette dernière, de beaucoup la plus facile, et d'ailleurs, la plus pauvre, soit la plus répandue, rien de moins anormal, mais elle est si généralement admise qu'il est devenu quasi impossible d'en envisager une autre, et cela est excessif.

Le destin du théâtre de Corneille est significatif à cet égard. Là existe (le cas est presque unique) pour ces choses de l'amour une syntaxe différente. Dans l'éthique cornélienne, en effet, le fait de s'abandonner à la passion ne fait pas honneur à la personne qui succombe et ne doit pas flatter celle qui bénéficie de la démission. Il faut aimer quelqu'un pour les mérites que la raison distingue en lui, l'aimer seulement dans la mesure où la volonté le commande et en conservant toujours la liberté d'agir comme si l'on n'aimait pas. Cette théorie paraît déraisonnable, exactement contraire à la nature de l'amour, et on aurait peine à la croire jamais sortie d'un cerveau assez lucide d'ordinaire, si les textes n'étaient formels: «C'est de vous, écrit Corneille à un correspondant mystérieux dans la dédicace de *La Place Royale*, que j'ai appris que l'amour d'un honnête homme doit être toujours volontaire; qu'on ne doit jamais aimer en un point qu'on ne puisse n'aimer pas; que si l'on en vient jusque-là, c'est une tyrannie dont il faut secouer le joug; et qu'enfin la personne aimée nous a beaucoup plus d'obligation de notre amour, alors qu'elle est toujours l'effet de notre choix et de son mérite, que quand elle vient d'une inclination aveugle, et forcée par quelque ascendant de naissance à qui nous ne pouvons résister. Nous ne sommes point redevables à celui de qui nous recevons un bienfait par contrainte, et on ne nous donne point ce qu'on ne saurait nous refuser» [*Œuvres*, Vol. II, p. 220]. Cette étrange conception se révèle à l'épreuve du concret d'une richesse et d'une exactitude insoupçonnées, mais dans sa forme schématique, elle reste assez déroutante pour n'avoir été, jusqu'à plus ample information, que rarement reconnue et jamais reprise. Ainsi, je ne dis pas l'esprit, mais la *lettre* même du *Cid* demeure à l'heure actuelle incomprise et le théâtre de Corneille passe encore couramment pour peindre les conflits de la passion et du devoir, ce qui, dans la mesure, faible d'ailleurs, où ces deux termes se laissent transposer du vocabulaire cornélien dans le langage courant, constitue un contre-sens dans la plupart des cas. C'est une chose étonnante, quand on y réfléchit, que l'originalité fondamentale d'un auteur illustre s'il en est et que chacun sait par cœur, reste aussi profondément méconnue, qu'on le travestisse de façon si grossière et qu'on soit parvenu à ne pas même pouvoir *lire* et comprendre ce qui est imprimé noir sur blanc et qu'on commente depuis trois cents ans sur le banc des écoles.[1] Quand, par suite, on regarde Corneille comme un écrivain antique et solennel, mais inintéressant, qu'on laisse par condescendance ou tradition en regard de Racine, poète très estimable sans contredit et psychologue brillant, mais génie d'une bien moindre envergure et d'intelligence nettement moins ouverte, ce n'est au fond qu'un détail, une sorte de symptôme du phénomène principal: la conception racinienne ayant si complètement pris possession de la sensibilité qu'elle exclut jusqu'à la reconnaissance de toute autre.

---

[1] Par exemple les vers 886–896 du *Cid* où Rodrigue explique nettement que la raison qui l'a *déterminé* à tuer Don Gormas est la crainte de s'attirer, en ne le faisant pas, le mépris de Chimène. Il a provoqué le comte, dit-il, pour la mériter et conserver son amour. On demande où réside dans la pièce le conflit entre le devoir et la passion.

Robert Brasillach

1909-1945

CORNEILLE,
CLASSIQUE ET RÉVOLUTIONNAIRE

LORSQUE PIERRE CORNEILLE EUT DISPARU, il laissait la scène française
en un état de gloire qu'elle ne devait plus jamais connaître par la suite.
Ces années merveilleuses où c'était Molière qui jouait à la fois Corneille
et Racine et Molière, elles nous semblent l'image la plus haute que nous
puissions former en France du théâtre. Et cette grandeur, tout en
reconnaissant leur part immense aux deux rivaux, il faut tout de même,
par esprit de justice, en rendre d'abord responsable celui qui fut
l'initiateur. Ce n'est pas nous d'ailleurs qui le disons, c'est un homme qui
savait fort bien à quoi s'en tenir, c'est Racine.

Certes, dans le discours qu'il adressa à Thomas Corneille lorsque
celui-ci fut venu remplacer son frère à l'Académie, Jean Racine ne
sembla guère céder tout d'abord qu'à la pompe officielle et à la banalité.
Il fit même l'éloge des vertus privées de Pierre Corneille avec une
onction telle qu'il nous semble presque impossible qu'il n'y ait pas mis
quelque ironie: «Mais ce qui nous touche de plus près, déclara-t-il pour

From Pierre Corneille (*Paris: Librairie Arthème Fayard, 1938*). *Reprinted by
permission of Librairie Arthème Fayard. Title supplied by RJN.*

achever de peindre son rival, c'est qu'il était encore un très bon académicien. Il aimait, il cultivait nos exercices. Il y apportait surtout cet esprit de douceur, d'égalité, de déférence même, si nécessaire pour entretenir l'union dans les compagnies». Seulement, il ajoute aussi:

> Vous savez en quel état se trouvait la scène française lorsqu'il commença à travailler. Quel désordre! Quelle irrégularité! Nul goût, nulle connaissance des véritables beautés du théâtre; les auteurs aussi ignorants que les spectateurs; la plupart des sujets extravagants et dénués de vraisemblance; point de mœurs, point de caractères; la diction encore plus vicieuse que l'action . . . Inspiré d'un génie extraordinaire, et aidé de la lecture des anciens, il fit voir sur la scène la raison, mais la raison accompagnée de toute la pompe, de tous les ornements dont notre langue est capable. Il accorda heureusement le vraisemblable et le merveilleux . . .[1]

Après Racine, et Racine louant Corneille, qu'oserait-on ajouter? Au moins ce texte si simple et si uni doit-il nous faire comprendre comment les hommes du dix-septième siècle s'imaginaient le rôle de notre poète, et même de tout grand écrivain. N'était-ce pas là comme le portrait idéal de l'artiste? Non, un classique n'est pas un fakir de banlieue, interprétant les songes des hommes à l'aide de règles toutes faites et des manuels écrits par Boileau. Et Boileau lui-même ne songeait point à écrire de tels manuels. Un classique, si nous en croyons la louange de Corneille par Racine, c'est d'abord un inventeur, c'est un explorateur, et c'est un fondateur d'Empire. Il s'installe dans une jungle qu'il défriche, et il plante son pavillon de colonisateur. Il ne suit pas les lois, puisque c'est lui qui les donne: le génie est le seul législateur. Le classicisme, c'est la Révolution permanente.

Et d'autre part, un classique, ce n'est pas non plus un simple consommateur de bon sens, assis de toute éternité à sa terrasse, loin du froid et du chaud et bien abrité des courants d'air. Il ne se contente pas de ces idées peu surprenantes que l'on nomme la vérité, la réalité, dans les colonnes des journaux bien pensants et chez ceux qu'effraie toute hardiesse. Il ne se contente pas de l'apparence des choses, mais il voit au delà, il devine les signes dont l'univers est empli. Il sait que rien ne

---

[1] *Œuvres de J. Racine*, Paul Mesnard, ed. (Paris: Librairie Hachette, 1865), Vol. IV, p. 358. With slight modifications of punctuation by Brasillach. (RJN)

compte qui ne soit légende et fable, et, comme dit Racine, il unit heureusement le vraisemblable et le merveilleux.

Ainsi, en un temps où la situation du théâtre est pire encore que la situation du théâtre en 1630, pouvons-nous revenir à Corneille par cette alliance toujours féconde du vraisemblable et du merveilleux. Contre la tragédie de collège, on avait inventé à cette époque un théâtre tout d'action, tout d'intrigue, sans caractères, sans beauté, et surtout sans style. C'est un théâtre plus bas encore que l'on propose aujourd'hui à notre admiration, c'est ce théâtre qui émerveille les critiques, c'est de cette décrépitude et de cet avilissement qu'ils se font les complices. A ce théâtre, un jeune révolutionnaire vint opposer ce que Racine nomme la pompe et qu'on nommerait sans doute aujourd'hui la littérature. Il l'a fait parfois avec maladresse, et c'est justement parce que sa réussite n'est pas aussi parfaite et aussi pure que celle de Racine qu'elle peut nous instruire mieux aujourd'hui. Car c'est une maladresse d'initiateur, et nous aurions besoin d'un initiateur aujourd'hui que tout est à recommencer. Ce que Corneille apportait au monde du théâtre, comme Racine l'a bien compris, c'était le Théâtre, cette fois, le vrai. Il apportait la beauté de la langue, la noblesse des attitudes et des passions, le rituel tragique, tout ce que nous avons à nouveau perdu. Il apportait un univers presque entièrement créé, ou plutôt transposé, un univers non pas uniquement vraisemblable, car cela c'est la copie de la réalité et non pas l'art, mais à la fois vraisemblable et merveilleux. Il apportait ce que nous appelons le style, car le théâtre, n'en déplaise aux critiques dramatiques, c'est le style.

Il le faisait avec une telle maîtrise et une telle variété que je ne crois pas que l'on pourrait attendre grand'chose d'essayer, pour terminer, de rajeunir l'éternel parallèle entre Corneille et Racine dont notre enfance a été bercée. Si nous avons parfois à opposer ces deux écrivains, qui se sont connus, qui ont été jaloux l'un de l'autre, qui ont parfois traité les mêmes sujets ou des sujets analogues, ce ne peut être que sur des points particuliers et définis. Et puis, Racine est incomparable, Racine est inimitable, il est le seul Racine, et l'amitié pour Corneille ne doit pas nous empêcher de le savoir. Mais un autre parallèle, moins connu, moins classique, le parallèle de Corneille et du plus grand génie dramatique de tous les temps, pourrait peut-être nous enseigner beaucoup de choses, je veux dire le parallèle de Corneille et de Shakespeare.

Il est en France un écrivain qui a composé sur Rome une suite de drames pleins de beautés, de hardiesse, où semblent se deviner les formes éternelles de la politique, des drames où passent de belles figures de femmes, attendries par l'amour, raidies par la gloire et ces drames, ce ne sont ni *Jules César*, ni *Coriolan*, mais *Horace, Cinna* et *Othon*. Il est un écrivain qui est allé chercher chez les chroniqueurs les tableaux de temps peu connus, où la décadence et les temps primitifs, l'or de Byzance, la guerre et la haine, composent des tableaux étranges et barbares, — et les drames de cet écrivain ne sont ni *Macbeth*, ni *Hamlet*, mais *Pertharite*, roi des Lombards, mais *Héraclius*, empereur de Byzance, mais *Théodore*, princesse de Syrie, mais *Attila*, roi des Huns. Il est un drame éternellement beau, où l'amour a été peint pour toujours avec sa pâleur, sa fraîcheur, son feu, où la jeunesse qui aime reconnaît à tout jamais son visage mortel et sa fougue, et ce drame, ce n'est pas *Roméo et Juliette*, c'est *le Cid*. Et le même écrivain a fait le portrait du monstre absolu, fou de domination, égaré par la montée du pouvoir en lui comme par la montée d'un poison dans le sang, et ce monstre sans doute il est dans *Richard III*, mais il est aussi dans *Rodogune*. Et si un poète a fait la chronique de l'Empire d'Angleterre dans une suite d'œuvres qui ne font qu'un avec l'orgueil national, l'autre a fait la chronique de l'Empire romain et l'a incorporé à notre histoire propre. Pour se délasser, tous deux ont imaginé aussi un monde conventionnel et ravissant, plein de beaux cavaliers qui discutent et se battent en duel, de femmes qui ne songent qu'à l'amour et l'un écrit *Beaucoup de bruit pour rien*, et l'autre écrit *Le Menteur*, et l'un écrit *Peines d'amour perdues*, ou *Les deux gentilshommes de Vérone*, et l'autre *La Place Royale*, et *Mélite*. Encore ce monde reste-t-il en apparence proche du nôtre, miroir offert à la société: mais bientôt, ils s'en évadent, ils appellent à leur aide la féerie, les machines, et l'un écrit *La Tempête*, et l'autre *L'Illusion*, et le magicien Alcandre sourit au magicien Prospero. Puis ils retournent à leur souci le plus profond, qui est le souci de la grandeur, ils proposent les plus nobles images qui soient de la condition humaine et de son destin, et Shakespeare se penche sur les mystères de la terre et du ciel et du sommeil pour écrire *Hamlet* et Corneille donne sa réponse de croyant à *Hamlet* en écrivant *Polyeucte*.

Il peut sembler difficile de savoir quel fut réellement l'homme, derrière son œuvre. Un cœur charmant, sans doute, un esprit à la fois timide et hardi, qu'il ne faut pas juger d'après quelques anecdotes, encore moins d'après quelques drames séparés arbitrairement d'un ensemble. Au début de sa vie, cavalier brillant, il fait partie de cette époque incomparable, amusante, riche de poésie et d'invention qu'est le temps de Louis XIII. Puis, un amour déçu, quelques hostilités, l'incitent à se réfugier dans une création plus hautaine, où triomphe sa volonté. Enfin, le second amour le ramène à la tendresse, à des œuvres touchantes et belles, le second amour, et aussi bien les rivalités nouvelles, la tristesse de vivre, et cet esprit inquiet qui demeure le sien jusqu'au bout. Le seul repos, la seule certitude qu'ait jamais trouvés Pierre Corneille, ce fut l'amitié de Dieu. Lorsqu'on décèle cette amitié et ces tourments à travers une œuvre étonnante d'invention et de variété, elle finit par paraître aussi claire qu'une confession.

Nous avons eu des poètes plus purs, nous avons eu des dramaturges aussi grands. Nous ne songeons pas à nous dissimuler ce qui a retenu Pierre Corneille sur le chemin de ses réalisations les plus ambitieuses, et ce qui a fait que tout ce qui nous attire en lui est resté parfois à l'état d'intention, ou de tentation. Nous ne songeons à nous dissimuler ni l'emphase, ni la raideur, ni le ton oratoire, ni la manie précieuse ou moralisante. Tout ce que Shakespeare a su établir dans un royaume de parfaite liberté, Pierre Corneille n'a pu le refaire qu'avec une attitude parfois contrainte. Peu importe. Aucun écrivain n'a bâti chez nous plus de maisons diverses, de palais et de jardins. Aucun n'a fait surgir un monde plus varié. Prenons seulement la peine de le lire, de ne pas nous restreindre aux quatre tragédies choisies pour la classe, dont deux seulement d'ailleurs (*le Cid* et *Polyeucte*) sont des chefs-d'œuvre incontestables. Il n'est pas si difficile de faire l'expérience. Peu de textes se prêtent aussi bien que les siens à l'éternel renouvellement, à la critique vivante et à la résurrection. On pourrait, d'une manière à peine paradoxale, ranimer par la surprise tous les aspects du génie de Corneille, jouer *Clitandre* avec des pancartes à la mode shakespearienne, *Nicomède* comme un drame du nationalisme arabe, *Sertorius* en chemise noire fasciste, *Théodore* à l'aide de mannequins byzantins ou surréalistes, *Attila* en perruques, on n'enlèverait rien de l'essentiel, on n'ôterait rien au texte de sa vigueur et de sa jeunesse. Vivre avec Pierre Corneille pendant quelques mois, le sentir accompagner nos jours, nos plaisirs et aussi nos peines, l'associer à l'amitié, aux querelles du temps, et à la mort, c'est un accompagnement assez miraculeux de la vie ...

Je crois que Pierre Corneille mérite bien le nom que l'on peut proposer pour lui. Il a été violent et il a été tendre, il a été dur et il a été doux et même fade, il a été charmant, emphatique, merveilleux, lucide, et tantôt admirablement pénétrant et tantôt conventionnel. Il a été héroïque et il a été saint. Il a été précieux, et il a été l'écrivain le plus robuste de notre langue. Il a tendu son miroir à l'univers, et il a aussi créé son univers glacé de poète savant, parfois accessible à lui seul. Oui vraiment, il a été notre Shakespeare.

Jean-Paul Sartre

1905-

A REFUTATION OF LA BRUYÈRE

FOR FIFTY YEARS ONE OF THE MOST celebrated subjects for dissertation in France has been formulated as follows: "Comment on La Bruyère's saying: Racine draws man as he is; Corneille, as he should be." We believe the statement should be reversed. Racine paints psychologic man, he studies the mechanics of love, of jealousy in an abstract, pure way; that is, without ever allowing moral considerations or human will to deflect the inevitability of their evolution. His dramatis personæ are only creatures of his mind, the end results of an intellectual analysis. Corneille, on the other hand, showing will at the very core of passion, gives us back man in all his complexity, in his complete reality.

From "Forgers of Myths: The Young Playwrights of France," in Theatre Arts, Vol. XXX (June, 1946). Reprinted by permission of Theatre Arts. A portion of an interview available only in English. Title supplied by RJN.

Georges May

1920-

CORNEILLE ET RACINE:
LES VRAIES DIFFÉRENCES
SOUS LES ANALOGIES TROMPEUSES

NOMBREUX SONT LES PROBLÈMES d'art dramatique de ce genre qui se présentent de manière aussi trompeuse. On remarque d'abord un parallélisme frappant entre certains aspects du théâtre de Corneille et de celui de Racine; puis, en l'examinant de plus près, en en précisant les rapports, les origines, les conséquences, l'on ne tarde pas à s'apercevoir que des détails pratiques identiques, des déclarations théoriques semblables, procèdent en fait de deux conceptions diamétralement opposées. C'est de cette manière, ainsi que nous le disions au début de ce chapitre, que l'on peut considérer le parallèle Corneille-Racine comme un précieux instrument de critique littéraire.

L'INVENTION POÉTIQUE

Il ne manque pas d'exemples pour mettre ce fait encore mieux en

From Tragédie cornélienne, tragédie racinienne, *Illinois Studies in Language and Literature*, Vol. XXXII, No. 4 (*Urbana: University of Illinois Press, 1948*). *Reprinted by permission of University of Illinois Press.*

lumière. Comme nous avons eu l'occasion de le rappeler en diverses occasions, Corneille et Racine affirment tous deux une même fidélité minutieuse à l'histoire. Sans doute était-ce là l'effet d'une puissante habitude littéraire issue de l'interprétation courante donnée au texte de la *Poétique* d'Aristote. Mais les raisons profondes pour lesquelles les deux auteurs suivent si volontiers cette mode sont foncièrement opposées. Corneille ne cherche dans l'histoire que la justification de ses intrigues invraisemblables et obscures. Racine y cherche la garantie que le public reconnaîtra sur la scène des héros et des situations avec lesquels l'histoire l'a déjà rendu familier. Corneille fouille et recherche dans l'histoire ce qu'elle a de plus inexploré, de plus inaccessible. Racine n'en veut que les épisodes les plus célèbres, les plus banals.

En manière de corollaire, examinons maintenant brièvement l'attitude des deux poètes vis-à-vis de l'invention poétique, question qui touche évidemment de très près à notre sujet. Les scrupules historiques dont ils se targuent l'un et l'autre ont pour conséquence normale qu'un sujet leur est inacceptable s'il est entièrement d'invention, encore qu'Aristote ne l'interdise en aucune façon (*Poétique*, ix, 1451b 19–23). Mais, sur une fondation historique ou légendaire, ils revendiquent l'un et l'autre la liberté de disposer à leur gré de l'agencement de leurs tragédies. Le parallélisme de leurs déclarations vaut la peine d'être relevé. Corneille écrit dans son deuxième *Discours:*

> Il est constant que les circonstances, ou si vous aimez mieux, les moyens de parvenir à l'action, demeurent en notre pouvoir: l'histoire souvent ne les marque pas, ou en rapporte si peu, qu'il est besoin d'y suppléer pour remplir le poème; et il y a même apparence de présumer que la mémoire de l'auditeur qui les aura lues autrefois ne s'y sera pas si fort attachée qu'il s'aperçoive assez du changement que nous y aurons fait, pour nous accuser de mensonge; ce qu'il ne manquerait pas de faire s'il voyait que nous changeassions l'action principale ... L'exemple de la mort de Clytemnestre peut servir de preuve à ce que je viens d'avancer; Sophocle et Euripide l'ont traitée tous deux, mais chacun avec un nœud et un dénoûment tout à fait différents l'un de l'autre.

De son côté, Racine écrit dans sa deuxième préface d'*Andromaque:*

> Il y a bien de la différence entre détruire le principal fondement d'une fable, et en altérer quelques incidents, qui changent

presque de face dans toutes les mains qui les traitent. Ainsi Achille, selon la plupart des poètes, ne peut être blessé qu'au talon, quoique Homère le fasse blesser au bras et ne le croie invulnérable en aucune partie de son corps. Ainsi Sophocle fait mourir Jocaste aussitôt après la reconnaissance d'Œdipe, tout au contraire d'Euripide, qui la fait vivre jusqu'au combat à la mort de ses deux fils. Et c'est à propos de quelque contrariété de cette nature qu'un ancien commentateur de Sophocle remarque fort bien «qu'il ne faut point s'amuser à chicaner les poètes pour quelques changements qu'ils ont pu faire dans la fable; mais qu'il faut s'attacher à considérer l'excellent usage qu'ils ont fait de ces changements, et la manière ingénieuse dont ils ont su accommoder la fable à leur sujet.» (Mesnard, II, 42–43)

En écrivant ces lignes, Corneille et Racine s'intégraient tous deux résolument dans la tradition des dramaturges et des critiques et commentateurs du xviième siècle. Cette tradition remontait à l'interprétation donnée au texte suivant de la *Poétique* d'Aristote:

Ὁ γὰρ ἱστορικὸς καὶ ὁ ποιητὴς οὐ τῷ ἢ ἔμμετρα λέγειν ἄμετρα διαφέρουσιν . . . ἀλλὰ τούτῳ διαφέρει, τῷ τὸν μὲν τὰ γενόμενα λέγειν, τὸν δὲ οἷα ἂν γένοιτο. Διὸ καὶ φιλοσοφώτερον καὶ σπουδαιότερον ποίησις ἱστορίας ἐστίν· ἡ μὲν γὰρ ποίησις μᾶλλον τὰ καθόλου, ἡ δ' ἱστορία τὰ καθ' ἕκαστον λέγει.[1]

*   *   *

Ainsi donc, Corneille et Racine acceptant délibérement et sans détours la même tradition, on pourrait en conclure qu'ils sont d'accord. Les mathématiciens affirment que *a* et *b* étant respectivement égaux à c, l'on peut en déduire que *a* et *b* sont égaux entre eux. Ce genre d'axiomes s'applique rarement à la critique littéraire. L'harmonie apparente de ces déclarations théoriques des deux poètes cache en réalité une divergence fondamentale entre les motifs qui les déterminèrent.

Si Corneille revendique pour lui le droit de disposer librement des «moyens de parvenir à l'action,» il en donne lui-même la vraie raison dans son troisième *Discours*. Nous avons cité dans un chapitre antérieur ce passage où il écrit que, si l'unité d'action résulte d'une seule action

---

[1] «L'historien et le poète ne diffèrent pas en ce que celui-ci s'exprime en vers et celui-là en prose . . . Mais la différence est que l'un raconte ce qui est arrivé, l'autre ce qui pourrait arriver. C'est pourquoi la poésie est plus philosophique et plus noble que l'histoire. En effet, la poésie traite des choses en général, l'histoire en particulier.» Aristote, *Poétique*, IX, 1451 a38–1451 b7.

complète — celle évidemment que fournit l'histoire ou la fable — cette action ne peut être complète qu'à condition d'en comprendre «plusieurs autres imparfaites, qui lui servent d'acheminements, et tiennent cet auditeur dans une agréable suspension.»

Le rapprochement de ces deux textes de Corneille est ici nécessaire et révélateur. L'action principale court le risque d'être connue, puisqu'elle doit être en quelque sorte authentique. D'autre part, le titre de la pièce en dévoilera souvent l'issue: *La Clémence d'Auguste*, *La Mort de Pompée*, *Théodore vierge et martyre*, *Don Sanche d'Aragon*, etc. Enfin elle causera généralement sur l'esprit du spectateur la plus vive impression et s'imprimera donc dans sa mémoire avec le plus de véhémence, gâtant ainsi le plaisir qu'il pourrait prendre le cas échéant à une représentation ultérieure. L'unité d'action, selon les termes du troisième *Discours* de Corneille, consiste «en l'unité de péril dans la tragédie, soit que son héros y succombe, soit qu'il en sorte.» Il ne manquera donc pas d'arriver fréquemment, la question étant si simple, que le spectateur, pour toutes les raisons données plus haut, sache à l'avance si le héros y succombera ou en sortira, soit le dénouement de la tragédie. D'où la nécessité impérieuse des épisodes, qui, eux, ne sont plus historiques et sont donc vierges et riches en moyens de surprendre et de «suspendre» le public.

Le traitement de *Rodogune* est particulièrement significatif à cet égard. Dans son examen de 1660, Corneille rappelle ses sources historiques et ajoute: «Le reste sont des épisodes d'invention, qui ne sont pas incompatibles avec l'histoire.» Or, dans son édition de 1647 de la même tragédie, Corneille plaçait un avertissement énumérant les éléments de l'intrigue dont l'origine se trouvait non plus dans l'histoire, mais dans l'invention du poète. Il avait, dit-il, changé en Démétrius le nom du feu roi Nicanor pour des raisons prosodiques, et fait de Rodogune non pas la veuve du roi comme l'aurait voulu la stricte fidélité à l'histoire, mais une jeune fille digne, sans choquer les bienséances, de l'amour des jumeaux. C'était là le genre de modifications que chacun pratiquait librement au XVII ᵉᵐᵉ siècle et que nous avons vu Racine admettre et défendre à plusieurs reprises. Puis Corneille ajoutait:

> L'ordre de leur naissance incertain, Rodogune prisonnière, quoiqu'elle ne vînt jamais en Syrie, la haine de Cléopâtre pour elle, la proposition sanglante qu'elle fait à ses fils, celle que cette princesse est obligée de faire pour se garantir, l'inclination qu'elle a pour Antiochus, et la jalouse fureur de cette mère qui

se résout plutôt à perdre ses fils qu'à se voir sujette de sa rivale, ne sont que des embellissements de l'invention, et des acheminements vraisemblables à l'effet dénaturé que me présentait l'histoire, et que les lois du poème ne me permettaient pas de changer.

L'on saisit bien ici toute l'ampleur et l'extension avec laquelle Corneille interprétait la notion d'«acheminements». Sans doute avons-nous choisi un exemple extrême. Mais il n'est pas unique: *Héraclius* est construit de la même manière, ainsi que *Théodore*, *Nicomède*, *Sertorius* et tant d'autres. Même de *Polyeucte*, Corneille avait déjà dû dire dans son avertissement à l'édition de 1643:

> Le songe de Pauline, l'amour de Sévère, le baptême effectif de Polyeucte, le sacrifice pour la victoire de l'Empereur, la dignité de Félix que je fais gouverneur d'Arménie, la mort de Néarque, la conversion de Félix et de Pauline, sont des inventions et des embellissements de théâtre.

Le plaidoyer de Corneille en faveur de la liberté d'invention des épisodes est donc destiné essentiellement à permettre au poète l'emploi illimité d'épisodes nombreux et importants. Ces épisodes étant purement imaginaires, sont propres à tenir constamment en suspens l'attention du public et à le satisfaire par les volte-face et les surprises dont il est si friand.

Tout autre est le sens du plaidoyer de Racine . . . Nous avons vu quel était l'objectif que poursuivait Racine en épurant ses sources historiques, en en éliminant certaines données, en y ajoutant quelquefois des éléments nouveaux: il visait à mieux respecter les bienséances et l'idée préconçue que le public pouvait avoir des héros ou de l'intrigue. Andromaque n'était connue du public de 1667 qu'en tant que veuve d'Hector et que mère d'Astyanax; Racine la représente telle, et c'est l'histoire qui avait tort d'en faire l'épouse de Pyrrhus et la mère de Molossus, puisque le public ne le savait pas.

La tendance de Racine est ici aux antipodes de celle de Corneille. Racine modifie l'histoire pour se rapprocher autant que possible des connaissances traditionnelles du public. Corneille les modifie pour s'éloigner autant qu'il le peut de ces connaissances. En conséquence, l'un retranche surtout, tandis que l'autre ajoute. Au reste, nous admettons bien volontiers que de nombreuses modifications apportées par

Racine à ses sources procédaient souvent d'autres soucis, d'autres ambitions. Il en va de même de Corneille. Mais le fait que nous voulions souligner ici est que, lorsque les raisons des modifications apportées par les deux poètes à leurs sources sont causées par les avantages intrinsèques que présente l'élément inventé sur l'élément historique, alors les modifications de Corneille visent toujours à tromper l'attente de son public, tandis que celles de Racine tendent à mieux la remplir. L'épisode imaginé par Corneille tiendra le spectateur en suspens; celui imaginé par Racine, répondant mieux à ses idées préconçues, laissera son esprit plus libre d'accueillir les plus authentiques beautés tragiques.

Ici encore la concordance extérieure entre les déclarations des deux poètes recouvre une profonde divergence d'interprétations découlant directement des conceptions inconciliables qu'ils avaient des vraies sources de l'intérêt dramatique.

LA COMPOSITION DE LA TRAGÉDIE

Un dernier exemple de cette harmonie trompeuse peut nous être fourni par la méticuleuse attention avec laquelle Corneille et Racine composaient leurs tragédies. A. Gazier écrit:

> N'oublions pas que c'est Corneille, et non Racine, qui a dit: «Ma tragédie est finie, je n'ai plus que les vers à faire.» Ces mots se trouvent cités dans une lettre de Godeau de 1642 ou 1643.[2]

On peut lire, d'autre part, sous la plume de Louis Racine:

> Quand il [Racine] entreprenait une tragédie, il disposait chaque acte en prose. Quand il avait lié toutes les scènes entre elles, il disait: «Ma tragédie est faite,» comptant le reste pour rien. (Mesnard, I, 260)

Le plan du premier acte d'*Iphigénie en Tauride* nous fournit un excellent exemple de cette méthode de composition de Racine. Chose curieuse, si l'on examine attentivement ce canevas de Racine, on ne peut manquer d'y voir l'application exacte des considérations

---

[2] «Pierre Corneille et le théâtre français.» *Revue des Cours et Conférences*, Vol. XIV (1906), p. 375.

théoriques de Corneille, telles qu'il les expose lui-même dans son troisième *Discours*, où il écrit par exemple à propos de l'enchaînement des scènes:

> Surtout il [le poète] doit se souvenir que les unes et les autres [scènes] doivent avoir une telle liaison ensemble, que les dernières soient produites par celles qui les précèdent, et que toutes aient leur source dans la protase que doit fermer le premier acte, etc. (M.-L., I, 100–101)

La méthode de composition des deux poètes est ici identique. Même souci encore chez eux de composer leurs tragédies de telle sorte que les proportions en soient harmonieuses. La péripétie du retour de Thésée . . . occupe le centre mathématique de *Phèdre;* mais . . . le retour de Pertharite n'est que de soixante-quatorze vers postérieur au milieu de *Pertharite*. L'épisode des larmes d'Andromaque se trouve au vers 855 d'*Andromaque* dont la version originale de 1667 comptait 1622 vers; de même encore les larmes d'Atalide coulent dans la scène centrale de *Bajazet*, etc. Si l'on reprend l'exemple de *Phèdre*, on verra que les deux premiers actes s'équilibrent l'un l'autre avec respectivement 366 et 360 vers, et que les deux derniers se répondent de la même manière avec respectivement 328 et 336 vers, autour d'un III ème acte plus court qui n'en compte que 264. Mais les tragédies de Racine n'ont pas le privilège de ces proportions harmonieuses. Corneille nous apprend lui-même qu'il a composé les cinq actes de *la Suivante* de façon à ce qu'ils aient chacun exactement le même nombre de vers, 340 en l'occurrence.

> C'est une affectation qui ne fait aucune beauté. Il faut à la vérité les rendre le plus égaux qu'il se peut; mais il n'est pas besoin de cette exactitude: il suffit qu'il n'y ait point d'inégalité notable qui fatigue l'attention des auditeurs en quelques-uns, et ne la remplisse pas dans les autres.

Bref, le minutieux souci de composition et de proportions de Corneille et de Racine est identique, et, une fois encore, ce serait une erreur que d'y voir le signe d'une similitude de conceptions théoriques. Sans doute le sens des proportions, des symétries, est-il surtout le signe de l'esthétique classique, celle que l'on retrouve par exemple dans une toile de Lebrun, dans un jardin de Le Nôtre ou dans l'architecture du palais de Versailles. Mais la nécessité d'un plan minutieux s'explique différemment.

Le texte de Corneille que nous venons de citer semble contenir le mot-clef du problème: celui d'*attention*. La minutie avec laquelle Corneille compose ses tragédies est, en effet, centrée tout entière sur l'effet produit. L'intrigue étant généralement complexe, il faut l'exposer clairement, pour que le spectateur puisse la comprendre, tout au moins à la seconde représentation; d'où l'extrême importance attachée à l'enchaînement logique des scènes, des actes. Sans ce fil logique, le spectateur se perdrait dans le labyrinthe, et la pièce sombrerait dans l'obscurité. L'agencement des coups de théâtre, la nécessité de tenir le public en suspens, en haleine, le désir d'en laisser entendre juste assez pour entretenir la curiosité, mais moins qu'il n'en faut pour la satisfaire, tous ces articles que nous avons relevés dans le code tragique de Corneille exigent cette rigueur extrême de composition. Si la composition fléchit, la tragédie devient un imbroglio impénétrable et produit l'effet opposé à celui désiré. En fait, si l'on met à part *Héraclius* dont l'enchevêtrement est si complexe qu'il est presque impossible d'en faire une tragédie immédiatement compréhensible, toutes les tragédies de Corneille, même les moins bonnes, sont bien construites. L'abbé d'Aubignac, malgré l'échec de *Théodore*, fait à juste titre l'éloge de la composition de la pièce. Il n'hésite pas à en faire, pour cette raison, le chef-d'œuvre de Corneille (*Pratique*, II, viii, 134). La composition de pièces comme *Pertharite*, *Othon*, *Attila* mériterait de semblables louanges.

D'ailleurs la minutieuse composition des tragédies de Racine procède d'un souci logique fort analogue, à ceci près que l'objectif final est précisément contraire à celui de Corneille. C'est bien afin de ne laisser aucune obscurité dans les complications *d'Iphigénie en Aulide* par exemple que le plan en est si serré... Racine y livre en plusieurs temps le mot de l'énigme au spectateur, mais en s'efforçant de laisser dans l'erreur les personnages tragiques. C'est pour une raison analogue que le plan du premier acte d'*Iphigénie en Tauride* est si précis et si détaillé. La pièce devait contenir deux reconnaissances, et il s'agissait pour le poète d'éviter qu'aucune des deux ne surprît le public. Oreste et Pylade ne devaient probablement entrer en scène qu'au IIème acte. Il fallait que le spectateur connût leur identité avant qu'Iphigénie pût la soupçonner. De là vient la nécessité du songe d'Iphigénie, qui préfigure en quelque sorte les songes prophétiques d'Assuérus et d'Athalie. On peut même imaginer que Racine aurait sans doute organisé son IIème acte de façon à obtenir une scène où Oreste et Pylade, seuls sur le théâtre, eussent pu révéler clairement au public leur identité sans qu'il fût possible aux personnages de la tragédie de les entendre. Il fallait encore que le spectateur connût la véritable identité d'Iphigénie sans qu'elle fût soupçonnée, ni d'Oreste et Pylade, ni du roi et du prince; de là cette première scène où Iphigénie, seule sur le théâtre avec une autre captive grecque, évoquait tristement son père Agamemnon, son frère Oreste.

Au début de ce chapitre, dans notre examen du thème d'Œdipe, nous avons reconnu la nécessité impérieuse d'un procédé quelconque soit pour dissimuler aux personnages ce que l'on fait savoir aux spectateurs, soit, au contraire, pour faire savoir aux personnages ce qui demeure caché aux spectateurs. Parmi les artifices disponibles, nous avons vu que ceux de composition étaient les moins contestables. Cette remarque doit donc éclairer encore davantage la vraie portée des efforts de composition de Racine et de Corneille et la vraie direction vers laquelle ils tendent.

La méthode que nous venons d'appliquer dans ce chapitre à l'étude de quelques questions de technique dramatique, nous paraît se justifier ne serait-ce que par la cohérence des résultats qu'elle a provoqués. Cette cohérence, nous ne l'avons pas imposée arbitrairement aux faits; elle n'était pas préexistante dans notre esprit; autrement dit, nous ne l'avons pas découverte artificieusement parce que nous l'avions insérée à l'avance là où nous voulions précisément la trouver, à la manière du prestidigitateur qui glisse un œuf dans la poche du spectateur au moment exact où il y plonge la main pour l'y découvrir. Il ne s'agit pas ici d'un raisonnement syllogistique où la conclusion ne contient que ce que l'on s'est plu à mettre dans les prémisses. Tout au contraire.

Si nous avons tant insisté dans les chapitres qui précèdent sur l'opposition fondamentale qui existe entre la conception de l'intérêt tragique de Corneille et celle de Racine, c'est bien parce que, à notre avis, cette différence est essentielle. C'est, pensons-nous, à propos de cette question particulière de l'importance accordée à l'intrigue et du rôle de celle-ci dans l'ensemble du poème tragique, que le génie de Corneille et celui de Racine s'affrontent dans la plus formelle antithèse. Question secondaire, dira-t-on. Sans doute, mais différence fondamentale, irréfutable, que nous pensons avoir mise en relief avec suffisamment de clarté et de solidité pour n'avoir pas à y revenir ici. Et cela contribue à faire de cette observation secondaire une question primordiale. Nous nous expliquons: une contradiction aussi nette, aussi réfléchie, aussi constante, n'est pas un simple accident, une simple coïncidence; elle ne peut pas manquer, au contraire, d'être le signe, non seulement d'une attitude foncièrement différente de la part des deux poètes vis-à-vis des problèmes de technique dramatique, mais aussi d'une philosophie différente de leur art.

Lorsque Corneille affirmait que Racine n'était pas doué pour le théâtre, sa sincérité était encore totale; et si la véhémence des termes de la préface de *Britannicus* s'explique par la chaleur de la polémique, leur sens profond dépasse largement ces contingences. L'étude des querelles littéraires qui, en les rapprochant, séparèrent et opposèrent les plus grands de nos écrivains, est tout à fait légitime. Mais elle ne montre bien sa valeur que lorsque, ayant suffisamment précisé les points litigieux essentiels — même s'ils peuvent sembler au premier abord secondaires et hors de proportion avec l'enjeu de la bataille — le critique, dépassant l'aspect polémique et, pourrait-on dire, historique de la controverse, parvient à saisir à sa source l'incompatibilité non seulement des deux artistes, des deux écrivains, mais celle des deux hommes.

A ce propos, l'antagonisme qui mit aux prises Bossuet et Fénelon, Voltaire et Rousseau, ou encore Voltaire et l'ombre de Pascal, Rousseau et celle de La Fontaine, peut offrir aux humanistes la plus valable des études, la plus digne parce que justement la plus humaine. Et souvent ce sera l'observation de petits faits sans aucune importance apparente qui permettra de mieux saisir le sens de la lutte. Après tout, l'animosité de Pascal contre Montaigne n'est sans doute pas tout à fait étrangère aux petits soins avec lesquels Montaigne dorlotait sa santé, à l'habitude qu'il avait, en sortant de table, de se frotter les dents du coin de sa serviette.

La véritable signification du duel Corneille-Racine, nous n'avons ni l'illusion, ni la prétention de l'avoir exprimée dans les pages qui précèdent. Mais, aussi bien, n'était-ce pas là notre dessein. Cette querelle a déjà donné lieu à d'innombrables études dont les résultats ont souvent été substantiels. En l'occurrence, notre contribution est, nous l'espérons, d'avoir apporté à cette étude monumentale notre pierre, et nous avons voulu qu'elle fût lisse et solide, même si elle était de taille modeste. L'esprit de poètes de l'envergure de Corneille et de Racine ne s'exprime ni ne s'expose en quelques centaines de pages; encore moins s'y condense-t-il. Nous nous sommes donc limité à un aspect étroit à dessein de la grande antithèse, à un aspect où elle se manifestait de la manière à la fois la plus vive et la plus tenace. Et le choix que nous avons fait de cet aspect particulier nous est apparu plus valable à mesure qu'il nous conduisait à effleurer au passage davantage de questions étrangères, à examiner davantage d'aspects divers de l'œuvre et de la personnalité des deux hommes, qui, en même temps qu'ils dépassaient l'objet de notre étude, l'éclairaient et lui conféraient sa dignité.

Octave Nadal

1903 -

Héros cornéliens, anti-héros raciniens

L'ÉPOQUE VERSAILLAISE QUI VIT VÉGÉTER une bourgeoisie et une noblesse respectueuses jusqu'à paraître idolâtres, ne se trompa guère sur la démarche hautaine de celle qui l'avait précédée. Elle aperçut ce qu'avait de frondeur une obéissance jugée nécessaire et renvoyée à l'ordre des choses. Au nom d'un réalisme humilié qui au fond renouait la chaîne un instant secouée des dogmes et de l'autorité, s'accomplit sous le grand siècle cette régression sur un réalisme créateur. Bossuet, Boileau, Colbert, codifièrent les vues et les succès de cette réaction; le théâtre de Molière en partie, celui de Racine, la fable de La Fontaine, sous les vocables millénaires du fatal, du naturel, du vraisemblable, ramenèrent la disgrâce humaine.

Ce théâtre[1] devait être celui de la puissance. Elle y rayonne en effet de Matamore à Auguste, d'Alidor à Cléopâtre (*Rodogune*) et à Suréna,

From Le Sentiment de l'amour dans l'œuvre de Pierre Corneille (*Paris: Editions Gallimard, 1948*). *Reprinted by permission of Editions Gallimard. Title supplied by RJN.*

[1] Of Corneille. (RJN)

jusqu'à composer une mythologie de la conquête. Ce pas de victoire sonne déjà dans les comédies. Univers de la jeunesse; conquête amoureuse où les manières de faire sont moins brillantes que les manières de dire. Mais dans ce tourbillon de fêtes, de bals, de regards et de beau langage, l'amour, nous l'avons vu, s'équilibre peu à peu à la manière des danses. De fières attitudes s'y font reconnaître, des essais de puissance. Tous ces jeunes gens cherchent à fortifier leurs chances, à affirmer leur nature, à sauver leur choix et leur âme. Qu'il s'agisse encore de paraître plus que d'être, de parade plus que de pouvoir réel, on n'en peut douter. Mais Alidor, dans *La Place Royale*, est bien près d'apercevoir la formule et le lieu cornéliens de l'amour héroïque. A partir du *Cid*, l'arc-en-ciel de tous les conquistadors du monde se déploie: chevalier d'honneur et d'amour, guerriers, chefs, hommes d'Etat, saints. Leur front de bataille: le point d'honneur, le civisme, la possession de soi, l'ordre, l'esprit, Dieu. Leur palme: la gloire.

Et certes, une distinction ici s'impose. La volonté de gloire ne se referme pas toujours sur le même objet; elle semble le plus souvent se confondre avec la passion de régner sur un cœur ou sur le monde. Le moi dans ses conquêtes (ambition, amour, générosité), ou dans sa défense contre ce qui voudrait l'humilier, le limiter ou le détruire (vengeance) ne tend guère qu'à la domination. C'est une passion véritable chez tous les cornéliens que cette soif de conquête et de possession. Elle meut la volonté, la raison et en général toutes les facultés de l'âme. Contrairement à ce qu'on a pu croire, c'est cette force toute passionnelle qui infléchit l'esprit et ses plus hautes fonctions, vouloir et jugement, vers ses buts dévorants et finalement les somme d'être alliés ou complices. L'inverse ne se produit pas, les passions conquérantes, ambition, vengeance ou générosité, n'obéissant jamais à la raison. Mais il peut arriver que la volonté de puissance se tourne non plus vers l'avoir de l'univers, choses et gens, mais vers l'être. Son objet n'est plus alors la possession mais la souveraineté. Le vouloir-dominer fait place au vouloir-être, Auguste maître de l'univers à Auguste maître de lui-même. Mais ce retrait de la puissance, cette conversion de l'avoir en être, s'opèrent encore chez le cornélien d'une façon passionnée et non rationnelle, comme on voit assez par le pardon d'Auguste, l'enthousiasme de Polyeucte, l'amour de Bérénice, d'Angélique ou de Suréna. Pour atteindre à l'acte libre du pardon ou à la pureté d'un amour sans terre, l'effort du souverain, de l'amoureux ou du saint, est soutenu par la violence de sentiments qui peuvent paraître excessifs ou même forcenés. Qu'il s'agisse de conquérir ou de se conquérir, de vouloir la puissance ou de l'abdiquer, la tension du héros est partout la même. Générosité, enthousiasme sont au même titre que la vengeance une passion; elles sont toujours un témoignage de puissance, mais cette fois tournée contre elle-même ou s'efforçant à se renoncer. C'est le moment de la plus haute gloire.

Tel est l'empire de cette conquête du monde et de soi-même dont Corneille eut la prodigieuse vision. Il y jeta ses personnages en avant d'eux-mêmes, fondant ainsi un permanent théâtre d'avant-garde, peut-être plus proche de l'épopée que de la tragédie. Le passé, l'histoire, le droit même, semblent parfois abolis sous cette foulée de la race des forts et des riches. Ce n'est pas une des moindres audaces de Corneille que d'avoir posé cette foi qui ordonne et crée l'univers des choses, des hommes, des droits et celui de l'esprit même. C'est pour chacun être celui en qui l'on croit.

D'après cette vue qu'il faut bien appeler mystique, Corneille tend à éluder le merveilleux et le mystère; à réduire l'âme humaine à ses faits intrinsèques, actes, pensées, sensations; à en marquer les rapports et les transformations. La magie, le fatal, le divin sont déposés. Rien à craindre désormais pour le héros, ni rien à espérer des puissances occultes. Mais en retour tout à espérer et tout à craindre de soi, le meilleur et le pire; cela dépend de lui, de son regard connaissant et attentif aux choses, celles-ci indifférentes, sans bonté ni menace. Ce qui reste de pouvoir à Médée la magicienne, d'incantation ou de prophétie, n'est plus que la force et le génie du Moi. Abandonnée de tous, sauf d'elle-même. Le surnaturel, dès la première tragédie, s'inscrit dans la structure humaine. Corneille va plus loin. Cette âme extraordinaire il ne veut la saisir que violemment tendue vers les formes et les buts qu'elle a conçus et s'est juré d'atteindre. Aussi est-il juste de dire que le héros s'invente et se fixe enfin d'après les images et la vision qu'il a de lui-même. Et il se développerait avec une rigueur absolue s'il n'était jeté dans une expérience réelle et confronté sans cesse avec la vie. Par là le Destin revient, mais vide absolument de fins providentielles ou magiques.

Un regard si clair devant soi, une telle avance du cœur, une espérance si hardie qu'elle s'empare de l'avenir comme de son bien, portent l'homme au delà des enchaînements et de l'antique destin. En fait, dans ce théâtre, l'événement humain toujours rayonnant déborde l'événement même; aussi la fatalité et le malheur y paraissent encore mais surmontés, exténués et comme nettoyés. Rien n'est plus éloigné à la fois du tragique antique et du tragique chrétien. Le fatal et le sacré laissent l'homme démuni et effaré. Ils lui communiquent l'angoisse et la vision d'un monde dont celui-ci n'est que le reflet. La mort seule ferait de l'un à l'autre la rupture, restituant à chacun sa pureté, à l'être ce qui est de l'esprit, au monde ce qui est des choses. Cette nostalgie est à peu près étrangère au tragique cornélien, enfermé tout entier dans les figures de ce monde et de l'homme. Corneille appelle ce dernier à prendre conscience et possession du domaine dont il est le souverain. Il l'installe sur cette terre afin qu'il reconnaisse son souffle, son cœur, son geste, sa parole et cette grâce unique qu'il est vivant et au monde. Or cette conscience ne peut être atteinte que dans l'effort et celui-ci n'est point accepté à la manière d'une épreuve qui chercherait sa récompense ailleurs qu'ici-bas. Le héros cornélien, loin de se résigner à la mort, l'appelle et la provoque; son dernier combat est la culmination de la plus grande vitalité. Il ne cherche pas ainsi à éveiller en nous la pitié ou la crainte mais une manière de pathétique intellectuel, si l'on peut dire, que la scène antique ne semble pas avoir connu. L'admiration est cette passion qu'il ne faut pas confondre avec l'étonnement. Elle s'adresse à l'intelligence qu'elle saisit toute, sans aller jamais, comme dit Corneille, jusqu'à nous tirer des larmes. C'est l'esprit et non le cœur qui est touché par la présence soudaine d'objets entièrement neufs et différents de ceux qui lui sont accoutumés. Cette touche vierge suscite une sorte d'éblouissement et d'exaltation. Dans ces précieux moments le corps reste stupide alors que l'âme connaît la plus vive agitation. Si l'on songe que le sublime est cette chose extraordinaire et imprévisible que le héros propose à notre admiration, on saisit la source et l'effet de ce nouveau tragique qu'ignore l'esthétique aristotélicienne. A ce point parvenue, la tragédie n'est plus qu'un refus du tragique; son ancien pouvoir de terrifier, d'évoquer des images farouches et pitoyables cède à une autre mission, celle de révéler l'homme dans sa gloire et dans son règne.

*   *   *

Corneille abandonna vite la tragédie tendre: *Sertorius* ramène la noblesse de la tragédie héroïque. Mais le glorieux reste tendre quand bien même il sait et veut triompher de son cœur. Ce curieux mélange de politique et de galanterie, de gloire et de soupirs qui caractérise la tragédie cornélienne de *Sertorius* à *Tite et Bérénice* et jusqu'à *Suréna*, se retrouve à peu près à la même époque dans tout notre théâtre. Tragédie de l'héroïsme et de la tendresse galante: Gilbert, Thomas Corneille, Boyer, Quinault en épuisent la formule et les thèmes complexes. C'est toujours l'éthique cornélienne qui survit dans ces peintres de l'amour: le même éclairage, les mêmes principes (opposés mais de nature semblable), le même langage, les mêmes vues du romanesque et de l'héroïque. Tantôt la tendresse y soutient l'héroïsme et tantôt l'héroïsme la galanterie. Ni Thomas Corneille, ni Quinault, dans la plupart de ses œuvres, ni Boyer, ni même Racine jusqu'à *Andromaque*, n'ont de l'amour une conception fondamentale différente de celle de Corneille. Ils ne l'expriment jamais que sur le plan de la gloire: lié au mérite et à la valeur. C'est aimer selon une loi ou selon des règles, selon une raison ou des conventions. De la gloire à l'amour, le rapport est maintenu. Le même thème de morale amoureuse se prête à d'infinies variations.

En 1666 *Andromaque* apporte une conception de l'amour de nature entièrement différente. Soulignons-en très brièvement le caractère nouveau. Racine dissocie de l'amour l'héroïque et le chevaleresque. Il serait aisé de montrer à quel point le monde des héros dans *Andromaque* rompt avec l'héroïsme comme d'ailleurs avec toute politique. L'ambassade politique d'Oreste n'est que le couvert d'une ambassade passionnelle bientôt évidente. Pyrrhus ne craint pas de se mettre la Grèce entière sur les bras pour épouser sa captive. Andromaque elle-même n'ambitionne pour son fils qu'un exil. Quant à Hermione:

> Je renonce à la Grèce, à Sparte, à son empire,
> A toute ma famille.
>
> <div align="right">(<i>V</i>, <i>3</i>, <i>1562–1563</i>)</div>

Ambitions, devoirs, couronnes royales, grandeurs, hiérarchies sont déposés. Ces cœurs et ces consciences restent déserts de tout ce qui n'est pas l'amour. Racine ne considère plus la passion comme valeur mais comme sentiment ou jouissance. Il la décrit dans ses formes instinctives, dans sa nature inconsciente, dans le fait divers douloureux du désir et de la privation. Les conflits de l'amour sont ceux de l'amour même; ils se nouent et restent en lui contenus. Le duo et le duel moraux du genre cornélien, qui opposaient constamment l'amour à quelque autre sentiment, sont absents ou presque de l'analyse amoureuse racinienne. C'est à l'intérieur, désormais, au cœur de l'amour, que la dualité tragique prend naissance et se résout. Dans *Andromaque*, ni le sort, ni le devoir, ni aucun sentiment vénérable ne démentent l'union des amants; mais la haine, la jalousie, la colère, le désir de vengeance, la fidélité, l'égoïsme, la cruauté, tous mouvements nés de l'amour.

Corneille, sur la fin de sa carrière, a-t-il aperçu quelque chose de ces perspectives, de cette sensibilité jusqu'ici inconnue et que la tragédie de Racine venait d'éveiller? C'est possible. Les personnages apolitiques de *Tite et Bérénice*, de *Pulchérie* ou de *Suréna*, le discrédit où ils laissent tomber le civisme, les fastes dynastiques et jusqu'à l'avenir de leur race, l'expérience de la solitude où les jette l'amour, enfin l'analyse de la jalousie sénile, semblent autoriser cette conjecture. Mais nous verrons qu'il ne faudrait point trop la pousser. Corneille n'abandonne malgré tout aucun trait essentiel de sa conception de l'art et de la vie. Ebranlé, certes, il reste lui-même jusqu'au bout.

*   *   *

Toutefois, dans ces pièces de l'intelligence, çà et là, certains traits fugitifs pouvaient laisser croire que Corneille refusait beaucoup plus qu'il n'ignorait la tragédie de l'amour. Dans *Pertharite*, le roi de Milan chassé du trône et revenu auprès de l'usurpateur pour réclamer sa femme prisonnière, renonçait à l'empire, «aux destins trop sévères». Il adressait à sa femme l'exhortation si tendre, si étrangère au monde héroïque:

Il est temps de tourner du côté du bonheur.

(*Pertharite*, *IV*, *5*, *1422*)

Pertharite n'était pas le seul à abdiquer le pouvoir et à pressentir l'intimité de l'amour. A partir de *Tite et Bérénice* — mais nous avons pu remonter plus haut — la quête de gloire s'efface devant celle du bonheur. Une race d'épigones succède aux héros et aux politiques. Rois, ministres, chefs de guerre ne jouent plus les amoureux: ils le sont. L'amour cesse d'être un art d'aimer; il devient une jouissance, joie ou peine. Quelque chose d'inquiet et de douloureux tremble dans la plainte de jeunes hommes et de vieillards amoureux, de femmes et de toutes jeunes filles. Sans doute politique et ambition ne sont-elles pas encore rejetées ou seulement méprisées; mais elles n'occupent plus l'âme tout entière. Celle-ci éprouve l'amour comme un mal précieux contre quoi elle ne peut ni n'entend se défendre; bien plus, dont elle veut jouir et mourir.

On ne peut en douter: les trois dernières pièces de Corneille et quelques personnages des tragédies de *Sertorius* à *Tite et Bérénice*, s'arrachent au monde héroïque ou glorieux pour ne plus soutenir qu'un débat passionnel. A l'amour ne s'opposent plus aussi résolument les intérêts politiques, la raison d'Etat, la gloire. Les héros consentent davantage aux fatalités de la passion; leur amour connaît la souffrance, la solitude, la jalousie, la haine, la cruauté; des forces obscures, une langueur mystérieuse les entraînent hors des activités et des disciplines qui leur étaient jusqu'ici familières, dissolvent leur volonté de puissance, offusquent leur lucidité. Une plus large place est faite désormais à l'instinct et plus généralement à toutes les formes de la sensibilité. Le sentir n'est plus systématiquement subordonné au connaître et au vouloir. L'analyse amoureuse devient moins subtile, plus riche en nuances, plus fidèle à l'expérience intime. Quelques héros utilisent la politique à des fins amoureuses, songent à remettre le pouvoir, préfèrent perdre leur rang, les faveurs et la vie même plutôt que l'être aimé. Cet héroïsme de l'amour appartient à Bérénice mais aussi bien au couple Suréna-Eurydice.

C'est une nouveauté que cette présence grave de l'amour, que cette place première qu'il occupe enfin dans l'échelle des valeurs cornéliennes. Dans les chefs-d'œuvre de 1636 à 1643, le héros s'efforçait de surmonter son pouvoir; cette fois il y cède. La tragédie en est transformée, comme il apparaît dans *Suréna* où l'amour et la jalousie mènent une intrigue toute simple et toute nue. L'accent donné à la passion est lui aussi différent: plus sourd, plus direct, plus naturel. Enfin la conception même de la vie se fait libérale, et transige, attentive aux intuitions et aux faiblesses du cœur. Cependant, malgré d'aussi sensibles change- ments, Corneille gardera jusqu'à la fin les vues qui lui sont propres sur la condition humaine et les passions de l'amour. Sans parler des person- nages de type cornélien qui se trouvent dans *Tite et Bérénice* ou dans *Pulchérie*, l'éthique de la Gloire n'est pas abandonnée dans ces pièces ni même dans *Suréna*. Très souvent l'intrigue et l'expression de la passion font songer à la tragédie galante. Si l'amour tend à devenir l'unique motif psychologique, il reste encore décrit dans son mouvement sublime qui de la passion l'élève au sentiment. Le renoncement de l'amoureuse

Bérénice est «raisonnable». L'amour une fois encore s'immole à la gloire intime qui n'est plus que le mouvement même de l'âme.

Peut-être était-ce la leçon que Corneille entendait donner aux raciniens, au moment où il se laissait aller le plus à leur séduction. Mais tout en ramenant la tragédie à l'amour — nous ne disons pas à la tendresse — il n'abandonnait pas l'opposition du cœur et de l'esprit, des sens et de la gloire, du bonheur et de la liberté intérieure. C'est en se réfugiant en lui-même que l'amour de Bérénice et de Suréna se sauve; il trouve en lui la force de s'arracher au bonheur. Corneille implique toujours dans l'amour la liberté et la volonté; il n'accepte pas de le réduire à une passivité, à un mal fatal. Cœur c'est affection, persiste-t-il à croire, mais c'est aussi courage. La dualité cornélienne, qui souvent depuis *Pompée* opposait le sentiment amoureux à une entité qui lui était étrangère, devoir, civisme, ambition, gloire, s'exerçait de nouveau comme dans *La Place Royale, Le Cid, Horace* ou *Polyeucte* à l'intérieur de l'amour. Le courage de l'amour consomme ce renoncement de la possession; amour replié sur soi, dans sa puissance intime et sa liberté. Il ne ressemble en rien à l'amollissement de la tendresse:

La tendresse n'est pas de l'amour d'un héros.

(*Suréna. V, 3, 1675*)

C'est le dernier mot de Suréna, et sans doute aussi de Corneille.

Paul Bénichou

1908 -

LA GRANDEUR CHEZ CORNEILLE
ET CHEZ RACINE

LA QUALITÉ ROYALE DES HÉROS, indispensable dans le théâtre de
Corneille pour appuyer la grandeur de la conduite, trouve chez Racine
un autre usage: étrangère à toute idée de supériorité morale, elle grandit
seulement les héros dans le bonheur et le malheur, elle projette leur
triomphe ou leur infortune à l'étage des dieux et des rois. Si la valeur du
héros, rejetée au rang des chimères par l'évolution sociale, est tragi-
quement niée dans Racine, la majesté de ses personnages n'en est pas
amoindrie; au contraire, pour être toute gratuite, elle n'en est que plus
éclatante. L'idée de la grandeur d'âme, tant qu'elle hante l'homme
noble, ne lui permet jamais complètement, même dans le crime, de
s'élever au-dessus de toute dépendance; toujours il se donne à juger et à
admirer pour un mérite qui le distingue. Les aristocrates ont beau
poursuivre le rêve d'une supériorité irresponsable de leur personne; ils
sont trop proches du public, ils dépendent malgré eux de lui et de son

From Morales du grand siècle (*Paris: Editions Gallimard, 1948*). *Reprinted by
permission of Editions Gallimard. Title supplied by RJN.*

estime. D'où le lien établi sans cesse dans la tradition aristocratique entre la qualité du sang et la valeur morale. Le triomphe de la monarchie absolue libère, en la détachant de tout jugement moral, la qualité surhumaine du héros, qu'il s'agisse du roi ou des nobles, qui ne le sont plus qu'autant qu'ils participent à quelque degré à l'éclat de la royauté. Plus il est étranger au critère de la valeur, plus le prestige des rois et des princes s'attache à leur condition, à leur *situation* au-dessus du destin commun des hommes. Leurs actes et leurs paroles, qui sont les mêmes que ceux de tous, retentissent autrement. L'idée d'une pareille grandeur n'était pas nouvelle; l'imagination poétique en subissait le charme depuis les grands règnes du siècle précédent; ce qu'on nomme poésie à partir des derniers Valois n'est guère séparable de cette sorte de prestige; la lumière même du beau se confond avec celle de la condition royale, dont la poésie transmet l'idée et d'une certaine façon la jouissance à tous les hommes. Inspiration, thèmes, style, tout y évoque cette majesté vive dont la royauté est la source.

Parce que Racine nous montre des personnages royaux moralement semblables à tous les hommes, il ne faut pas réduire, comme on fait quelquefois, les drames raciniens à de simples faits divers passionnels; ceux qui le font contredisent certainement le sentiment du public pour qui Racine écrivait, et aux yeux duquel la projection sur un plan royal ou mythique des démarches humaines était inséparable de la tragédie. La position de l'action tragique au delà des limites communes de la vie est demeurée une exigence stricte tant que la grandeur royale et le prestige de la cour ont duré; tout le destin de la tragédie s'est d'ailleurs joué, dès le XVIIIe siècle, sur cette convention, qui était plus qu'une convention, et dont la ruine a entraîné celle de tout le genre. La grandeur poétique n'est donc pas chez Racine un embellissement ajouté par artifice à la vérité des passions. Chacun des deux éléments est indispensable à l'autre, et lui donne tout son sens, conformément à l'esprit même de la Fable païenne, où Racine a trouvé le modèle de cette grandeur gratuite, de ce merveilleux nourri du scandale des instincts qui est l'âme de son théâtre. C'est cette coïncidence foncière qui a permis à Racine de faire revivre, avec une intensité sans égale, les mythes de l'ancienne Grèce dans l'Europe moderne. Le sacrifice d'Iphigénie, le destin sanglant de la famille d'Atrée, la légende du Minotaure et les égarements des filles de Minos ne l'inspirent si bien que parce qu'il y retrouve les mêmes données, qui définissent le destin des Grands depuis le dépérissement de l'idée chevaleresque: la grandeur d'une situation privilégiée, jointe à la vérité dévoilée de la nature.[1]

Racine lui-même fait dépendre l'émotion tragique de la dimension des personnages représentés, quand il exprime l'espoir qu'on trouvera dans sa Bérénice «cette tristesse majestueuse qui fait tout le plaisir de la tragédie» [Préface de *Bérénice*]. De fait, il n'est guère d'endroits, même en dehors de *Bérénice* et d'*Iphigénie*, qui en sont les exemples les plus frappants, où la lamentation racinienne n'ait pour objet la perte d'une grandeur prestigieuse; c'est même là, peut-on dire, une des composantes les plus profondes de la poésie de Racine. Cet incessant rapprochement, cette fusion presque de la divinité et du néant, cette majesté incertaine ou menacée à son insu dans le bonheur, et fidèle à elle-même dans la détresse, cette lumière égale de la félicité et de l'angoisse, libre à nous évidemment de les considérer et de les aimer par rapport à la figure humaine en général. Racine a été assez grand pour nous en laisser la possibilité, pour nous y inviter. Mais il ne faudrait pas croire qu'il ait pu concevoir et sentir «cette tristesse majestueuse», source, selon lui, de tout le plaisir tragique, indépendamment du prestige dont se revêtait à ses yeux et aux yeux de ses contemporains la condition royale.

Que ce prestige chez Racine soit célébré sur le mode de la douleur et du désastre, cela ne résulte sans doute pas seulement de la définition de la tragédie. La nécessité du genre a répondu ici à une disposition profonde du poète. Le monarque, aux confins de la divinité, est, pour des yeux chrétiens, et jansénistes, aux confins du sacrilège; d'où la menace, sans cesse suspendue sur lui, d'un châtiment céleste. L'obses-

---

[1] Il y aurait beaucoup à dire sur la faveur que les siècles monarchiques ont temoignée aux mythes de la Grèce païenne. Cette faveur dépasse de beaucoup le cas particulier de Racine. On la voit trop souvent encore expliquée par un engouement artificiel, dû à la pauvreté d'inspiration des poètes, trop heureux de trouver dans l'arsenal de la Fable de quoi orner pompeusement leur faiblesse. C'est expliquer bien légèrement un goût profond et tenace, sans lequel deux siècles de grande poésie européenne ne seraient pas ce qu'ils sont. Mieux vaudrait essayer de retrouver les contacts profonds entre les données de la Fable et l'esprit des siècles qui ont suivi la Renaissance. On entreverrait alors dans cette période de l'histoire européenne, des points de sensibilité réelle, et organiquement explicable, aux mythes antiques. Et la poésie de cette époque y prendrait une vie nouvelle, qu'à vrai dire la seule pratique des œuvres, depuis pas mal de temps déjà, a recommencé à révéler au lecteur sans préjugé.

sion du veto chrétien, Némésis nouvelle, mêle intimement à la grandeur des personnes royales l'inquiétude de leur propre néant, bien que cette inquiétude, sous le Roi-Soleil, ne soit jamais assez grande pour effacer leur caractère. La grandeur de Phèdre, en même temps qu'elle est plus étrangère à la vertu que celle des héros cornéliens, est davantage traversée par l'incertitude. Le débat de la grandeur et de la bassesse, du bien et du mal, a changé complètement d'aspect en se posant par rapport à une condition royale libérée de tout obstacle et à une culpabilité concurremment renforcée. La condition simplement noble ayant cessé d'être au centre de tout, la fusion qu'elle représentait du prestige social et de la valeur morale, s'est trouvée brisée. La royauté illimitée et la nature brute, produits extrêmes de cette rupture, ont coexisté désormais dans une nouvelle synthèse, toute chargée d'angoisse, que la tragédie racinienne fait surgir à nos yeux.

La tragédie de Racine est moins représentative peut-être que celle de Corneille, en ce sens qu'elle est moins spontanément, moins directement, l'expression d'un milieu social et d'une tendance morale. Elle est composée d'éléments non seulement divers, mais parfois contradictoires, et qui ne peuvent s'équilibrer que par un miracle de nuances; c'est la réussite d'un génie unique d'avoir fondu ensemble l'inspiration janséniste et le goût de la jeune cour de Versailles, et de les avoir coulés dans le même moule qui avait servi à Corneille. La violence pessimiste des peintures du cœur, inspirée du nihilisme janséniste, ne devait pas avoir beaucoup d'imitateurs. Cette violence est restée un exemple unique, à peine compris et vite rejeté; comme celle de Pascal et sans doute pour les mêmes raisons, elle est sans lendemain. Quant à Racine poète, la tradition déjà longue dont il hérite s'immobilise en lui, s'approfondit et se magnifie prodigieusement dans ses vers, et meurt après lui. Le xviiie siècle n'admire et n'imite de Racine que le souci du naturel, l'habile observation de la vérité, la logique du drame, l'élégance sensible du style, toutes choses qui, sans le reste, ne sont que la survivance du genre. Pourtant tout ce que Racine avait uni, tous les éléments qui, venus de toutes les sources, s'harmonisent dans son théâtre, cruauté des passions, vérité de la conduite, délicatesse de la sympathie, résonances grandioses du récit, tout, matériaux et forme, obéit à une loi commune et procède de la même impulsion: tout tend à mettre la tragédie en harmonie avec le penchant d'une époque nouvelle, qui est celle de la désaffection du vieux sublime. Aussi peut-on penser finalement que nul n'a mieux situé, sinon défini, Racine que Heine, quand il écrit: «Racine se présente déjà comme le héraut de l'âge moderne près du grand roi avec qui commencent les temps nouveaux. Racine est le premier poète moderne, comme Louis XIV fut le premier roi moderne. Dans Corneille respire encore le moyen âge. En lui et dans la Fronde râle la voix de la vieille chevalerie . . . Mais dans Racine les sentiments du moyen âge sont complètement éteints; en lui ne s'éveillent que des idées nouvelles; c'est l'organe d'une société neuve.»[2] Plus exactement peut-être c'est l'organe d'une époque neuve, diverse et contradictoire dans sa nouveauté, où achève de mourir et de se transformer une société ancienne.

------

[2] H. Heine, *Die romantische Schules* (Hambourg, 1836), p. 131.

Jean Starobinski

1920-

RACINE ET LA POÉTIQUE
DU REGARD

LE HÉROS DE CORNEILLE a pour témoin l'univers. Il se sait et se veut
exposé aux yeux de tous les peuples et de tous les siècles. Il appelle sur
lui les regards du monde; il s'y offre, admirable, éblouissant. Dans
chacun de ses mouvements, le héros cornélien entend *faire voir* quel il
est: sa décision, son effort intérieur sont immédiatement donnés en
spectacle. S'il se sacrifie — s'il se prive de l'être aimé ou s'il fait don de
sa vie — il ne renonce jamais à *se montrer* dans l'acte même du sacrifice,
et il reconquiert, dans le regard étonné de l'univers, une existence
désormais transfigurée par la gloire. A travers ce regard, tout lui est
rendu au centuple.

L'acte cornélien est toujours fondateur de souveraineté: le héros
confirme sa nature princière et son droit à régner. Pour lui, se révéler,
c'est établir sa grandeur; être vu, c'est *être reconnu* comme le vrai
maître. Les tragédies de Corneille s'achèvent presque toutes sur cet

From L'Œil vivant (*Paris: Editions Gallimard, 1961*). *First published in* La
Nouvelle Revue Française, *Vol. V* (*August 1, 1957*). *Reprinted by permission of
Editions Gallimard.*

instant de «reconnaissance» éblouie; l'on voit y concorder les fins orgueilleuses de l'individu et l'intérêt de la communauté, dont l'existence et le bonheur dépendent de l'éclat glorieux du prince.

Corneille est ainsi le poète de la vision éblouie — vision dont la pleine capacité est heureusement comblée de lumière. Loin d'être trompeur, cet éblouissement consacre l'essence et la valeur vraie des êtres admirables. L'œil ébloui est le témoin d'une grandeur insurpassée, à l'extrême limite de la clarté soutenable. Au delà, l'éblouissement deviendrait un trouble, mais Corneille ne va pas au delà. Il fait régner une évidence pleinement saisissable; le héros qui se montre et le regard fixé sur lui sont l'un et l'autre en possession de ce qu'ils attendaient; vision et ostentation obtiennent satisfaction l'une par l'autre, et bientôt n'existeront plus séparément: couple où presque amoureusement s'unissent l'être éblouissant et le regard ébloui. L'énergie volontaire du héros s'augmente d'une autre force, celle des regards admiratifs qui se tournent vers lui et se donnent à lui: l'*événement* cornélien se trouve au confluent de ces deux forces. Au surplus, le héros sait implicitement qu'il est vu tel qu'il se montre, sans déformation ni diminution. Les regards posés sur lui le confirment dans son être, l'acceptent et l'approuvent tout entier. Le paraître, la subjectivité des autres ne rendent pas la vérité problématique: les malentendus seront toujours dissipés. Le paraître apporte au moi héroïque la confirmation dont il eût manqué s'il n'avait été vu par les autres. Car le moi n'existe pleinement que s'il est *apparaissant*. Et, s'il prend sans cesse l'univers à témoin, c'est parce qu'il n'achève d'avoir conscience de lui-même que s'il apparaît ou comparaît devant témoin.

Chez Racine, l'importance du regard n'est pas moindre mais sa valeur et sa signification sont entièrement différentes. C'est un regard auquel manque non l'intensité, mais la plénitude, et qui ne peut empêcher son objet de se dérober. L'acte de voir, chez Racine, reste toujours hanté par le tragique. Dans le monde cornélien, le regard ébloui accédait au delà du tragique: au moment où il appelait sur lui l'admiration du monde, le héros cornélien avait déjà surmonté le déchirement tragique, il était reconnu par ses rivaux généreux ou par ses sujets. Chez Racine, au contraire, le regard ne cesse de trahir l'insatisfaction et le dissentiment. *Voir* est un acte pathétique et reste toujours une saisie imparfaite de l'être convoité. *Etre vu* n'implique pas la gloire, mais la honte. Tel qu'il se montre, dans son impulsion passionnée, le héros racinien ne peut ni s'approuver lui-même, ni être reconnu par ses rivaux. Le plus souvent, il ne veut rien savoir d'un regard universel, par lequel il se sent d'avance condamné. Au reste, consentirait-il à subir ce regard, il ne parviendra jamais à lui apparaître dans une évidence entière. Si clair que soit le discours racinien, il laisse toujours deviner une assise psychologique qui reste dans l'ombre et se refuse à la vue. Chez Racine, derrière ce que l'on voit, il y a ce que l'on entrevoit, et, plus loin, ce dont on ne peut que pressentir la réalité, sans en rien voir. Cette perspective d'ombre est l'un des éléments de l'impression de *vérité* que nous font les personnages raciniens. Ils sont «profonds». Et cette profondeur est liée à l'absence d'une nature stable et entièrement visible; elle est liée à quelque chose que l'on peut nommer tout ensemble un excès et un manque, par quoi ces personnages se dérobent à nos regards tout en nous offrant le spectacle de leur destinée tragique.

Dans le théâtre français classique, et singulièrement chez Racine, les gestes tendent à disparaître. Au profit du langage, a-t-on dit. Il faut ajouter: au profit du regard. Si les personnages ne s'étreignent ni ne se frappent sur la scène, en revanche, ils se voient. Les scènes, chez Racine, sont des *entrevues*. Les personnes du drame se parlent et s'entre-regardent. Mais les regards échangés ont valeur d'étreinte et de blessure. Ils disent tout ce que les autres gestes eussent dit, avec ce privilège au surplus de porter au delà, d'aller plus profond, d'alarmer plus vivement: ils troublent les âmes.

Une contrainte esthétique devient ainsi moyen d'expression tragique. La volonté de style, qui fait du langage un discours poétique, élève en même temps toute la mimique et toute la gesticulation au niveau du regard. C'est le résultat d'une même transmutation, d'une même «sublimation», qui épure la parole parlée et concentre dans le seul langage des yeux tout le pouvoir signifiant du corps.

L'acte de voir reprend en lui tous les gestes que la volonté de style a supprimés, il les représente symboliquement, il contient toutes leurs tensions et toutes leurs intentions. C'est là, assurément, une «spirituali-sation» de l'acte expressif, conforme aux exigences d'un âge de bien-séance et de politesse: les passions peuvent ainsi s'exprimer avec décence, chastement, sans excessive présence du corps. Jusqu'à l'instant où s'abattra le poignard, les personnages ne s'affrontent jamais qu'à travers un intervalle. Le plateau du théâtre, presque nu, est livré à l'espace: c'est un espace clos, et dont les limites, symétriquement disposées (murs, portiques, colonnades, lambris), portent quelques signes convenus de majesté et de pompe, peut-être non sans quelque excès baroque. Mais, entre ces limites, le vide est fait, sans nul objet interposé, et ce vide semble n'exister que pour être traversé de regards. Dès lors, cette distance qui sépare les personnages rend possible, en contrepartie, l'exercice d'une cruauté qui se fait tout regard et qui atteint les âmes à travers leurs reflets dans les yeux de l'amour ou de la haine. Car il y a — malgré la distance, et aussi grâce à elle — un *contact* par le regard. Et si nous acceptions, il y a un instant, l'idée d'une spiritualisation des gestes physiques devenant regard, il nous faut admettre l'idée inverse d'une «matérialisation» du regard, qui s'alourdit et se charge de toutes les valeurs corporelles et de toutes les significations pathétiques dont il s'est laissé envahir. Cette lourdeur charnelle du regard racinien s'exprime admirablement dans ce vers fameux:

> Chargés d'un feu secret, vos yeux s'appesantissent.
> (*Phèdre. I, 2, 134*)

Ce n'est plus le clair regard qui connaît, mais le regard qui convoite et qui souffre. Pour nous, le regard racinien représentait d'abord une désincarnation du geste pathétique; le paradoxe, c'est qu'il est aussitôt embué par un trouble charnel qui l'appesantit. Eclat acéré, trouble passionnel: les contraires ici coexistent, et la poésie se trouve bien de cette ambiguïté, de ce mélange du pur et de l'impur. Si l'on retourne aux textes de Racine, et si l'on reprend l'analyse stylistique qu'en donne Leo Spitzer,[1] l'on s'aperçoit que le verbe *voir*, si fréquemment utilisé, veut dire tantôt: savoir, connaître, et implique alors une vision intellectuelle — d'ailleurs souvent précaire — des vérités humaines et divines; mais que, d'autres fois, *voir* désigne un geste affectif; par exemple l'acte d'une conscience qui se repaît amoureusement, insatiablement, de la présence de l'être désiré, dans la hantise du malheur imminent, et dans le pressentiment d'une malédiction ou d'une punition attachée à cette *vue* passionnée. Le verbe *voir*, chez Racine, contient ce battement séman-

---

[1] Leo Spitzer, *Linguistics and Literary History* (Princeton: Princeton University Press, 1949).

tique entre le trouble et la clarté, entre le savoir et l'égarement. C'est le résultat d'une sorte d'échange profond: la violence s'allège et se fait regard, tandis que l'acte raisonnable de voir s'alourdit et devient conducteur de puissances irrationnelles.

Assurément, l'acte de voir contribue à la *magie* du texte racinien — cette magie que l'on met d'habitude un peu trop exclusivement sur le compte de la musique verbale. Le mot voir, lui-même presque invisible dans sa brièveté monosyllabique, conduit l'œil du lecteur au cœur de la relation essentielle des personnages qu'unit, silencieusement, le seul échange des regards. Ainsi s'établit, non plus sur la scène, mais derrière le discours, un espace particulier, un arrière-pays qui n'existe que par la vue et pour la vue, au delà des structures verbales qui l'ont évoqué. Dans l'histoire qui nous est racontée, le drame du regard a précédé le drame exprimé par les mots: les personnages se sont vus, puis ils se sont aimés ou haïs, enfin ils ont parlé pour dire leur amour ou leur haine; mais ce qu'ils disent alors concerne toujours le regard: ils brûlent de «se revoir», ils sont peut-être condamnés à ne plus jamais se «voir», ils ne peuvent supporter l'outrage qui leur est infligé «à leurs yeux». La parole ne semble exister alors que pour accompagner et commenter les intentions du regard. Elle sert d'intermédiaire entre le silence du premier regard et le silence des derniers regards. Les modulations du chant racinien se dessinent sur ces échappées. L'être ne se chante que dans le mouvement qui le porte à voir, ou qui le prive de voir. (Ce mouvement n'a pas lieu dans l'espace seulement; il plonge dans la dimension du temps. Il *re*voit et *pré*voit. En Astyanax, Andromaque revoit Hector; tout le passé redevient présent. Athalie a les yeux hantés par ce rêve où elle a vu simultanément le passé — la mort de Jézabel — et sa propre mort à venir.) Une puissance de regard reste donc constamment tendue à l'intérieur du vers, et, à partir du langage, elle crée une ligne d'horizon où s'anéantit la parole: mais c'est là, en même temps, le triomphe de la parole, puisqu'elle a su faire exister ce qui paraît l'exclure: un silence, un espace, et des lignes de force visuelles qui relient des présences humaines à travers ce silence et cet espace.

Rien de moins visuel, cependant, que la poésie de Racine. Le regard n'est point tourné vers des objets; il ne s'arrête ni aux formes ni aux couleurs. Il n'explore pas le monde, interroge à peine la nature: il ne cherche que le regard des autres. S'il est inattentif aux objets, c'est qu'il est trop exclusivement tourné vers la conscience-regard qu'il interroge:

il n'est préoccupé que d'avoir prise sur quelqu'un, et de savoir si les yeux qu'il cherche le regardent ou l'ignorent en retour. Il ne faut donc attendre nulle description du détail visible: ce serait là le fait d'une vision moins impatiente de toucher avant tout à l'existence et à l'âme des personnes. Chez Racine, l'acte de voir vise toujours, synthétiquement, un être total, une essence. Il n'est plus temps de détailler les aspects et les charmes d'un visage: le regard les a déjà dépassés, en direction d'une essence unique et profonde.

Point d'images, donc, ou très peu. De même que le regard ne veut voir que l'essence des êtres, il ne veut voir que l'essence du monde. Certaines formes fort stylisées — chevaux, forêts, rivages, voiles — sont dessinées. Mais l'essence visuelle du monde est plus simple encore: c'est le couple élémentaire jour-nuit, ombre-lumière. Dualité presque abstraite, où la réalité cosmique est aussitôt humanisée par le symbole éthique surajouté. Une nuit profonde ne peut comporter que l'horreur (songe d'Athalie), tandis qu'au jour la pureté appartient de droit (dernières paroles de Phèdre). Le symbole éthique, ici, est engendré comme une hypostase de l'acte du regard: la lumière et l'ombre ne sont pas seulement les conditions qui rendent possible ou impossible la vision; elles sont elles-mêmes un regard et un aveuglement transcendant. A la limite, elles ne sont plus des choses regardées, elles sont chargées de vision. Le jour n'est pas seulement ce qui rend visible, il est un Regard absolu. Phèdre a honte à la face du jour et du Soleil, qui l'éclaire pour la condamner. Elle sait qu'elle appartient à la nuit, c'est-à-dire qu'elle est prise dans le champ d'un regard nocturne issu du monde infernal.

On lit dans une lettre de jeunesse, datée d'Uzès: «J'allais voir le feu de joie qu'un homme de ma connaissance avait entrepris . . . Il y avait tout autour de moi des visages qu'on voyait à la lueur des fusées, et dont vous auriez bien eu autant de peine à vous défendre que j'en avais.» Des visages qui apparaissent dans la nuit, à la lumière des flammes: il semble que ce soit là un thème favori de la rêverie racinienne. La lettre d'Uzès décrit ce qui restera pour Racine une situation-archétype: le premier regard sur un être dont l'image s'éclaire sur fond nocturne . . . Mais poursuivons la lecture de cette lettre. Nous y découvrirons un second élément typique: si gai que soit le ton du récit, toujours est-il que ce spectacle est condamné. Il est frappé d'interdit, le péché y est inscrit. L'angoisse, ou, du moins, l'insécurité semblent l'accompagner: «Mais pour moi, je n'avais garde d'y penser; je ne les regardais pas même en sûreté; j'étais en la compagnie d'un révérend père de ce chapitre, qui n'aimait point fort à rire . . .» Toute la scène se déroule sous le regard réprobateur du prêtre, qui surveille les yeux de Racine. Celui-ci ne peut même pas échanger un coup d'œil «en sûreté». Ce regard autoritaire indiscrètement posé sur lui le sépare des femmes qu'il convoite, lui vole littéralement le plaisir de voir, et ne lui laisse que la honte d'avoir osé regarder. Dans les tragédies de Racine, nous retrouverons de façon très constante ce thème du regard regardé. Il est rare qu'un échange de regards ait lieu sans qu'il soit dominé par les yeux proches ou lointains d'un tiers personnage. Si Racine situe l'une de ses tragédies dans le sérail de Constantinople, c'est parce que le sérail est le type parfait d'un univers où tous les regards sont épiés par d'autres regards:

ACOMAT

. . . la sultane éperdue
N'eut plus d'autre désir que celui de sa vue.

OSMIN

Mais pouvaient-ils tromper tant de jaloux regards
Qui semblent mettre entre eux d'invisibles remparts?
(*Bajazet. I, 1, 141–144*)

Cette lettre d'Uzès, certes, n'apporte pas le témoignage d'un événement capital de la biographie de Racine. Cependant, il se trouve que le poète semble s'être constamment souvenu de cette situation. Tout se passe comme si ce moment lui avait fait reconnaître, en pleine réalité, un thème issu des régions les plus secrètes de l'imagination: un mythe personnel. Il n'était pas nécessaire que Racine recontrât, à la lumière de ce feu de joie, la séduction et la honte du Regard nocturne: il l'aurait inventé. Et il y a cette métamorphose du feu de joie en flamboiement tragique . . .

Tant d'exemples s'offrent: Andromaque n'a pas oublié les yeux de Pyrrhus, étincelant dans la lueur de l'immense incendie de Troie. A la lumière des torches, Néron voit pour la première fois Junie, «levant au ciel ses yeux mouillés de larmes». Dans une autre «nuit enflammée», Bérénice voit tous les regards se tourner vers Titus, ces regards mêmes qui apprendront à Titus qu'il lui est interdit d'épouser une reine étrangère. Chacun de ces regards nocturnes a la valeur d'un événement premier, situé avant le début de l'action représentée. C'est le moment originel, où la fatalité prend naissance. Les personnages raciniens le savent: tout a commencé par ces regards dans la nuit. Ce qui a déterminé leur destin, c'est d'avoir vu ces yeux, et de n'avoir plus pu se séparer de leur image.

Sans doute, la tradition de la rhétorique amoureuse veut que la passion naisse d'un seul coup d'œil, et du premier coup d'œil. Etre amoureux, c'est être captif d'un regard. Et cette rhétorique ne cesse pas d'avoir cours chez Racine. Mais combien s'aggrave chez lui le sortilège du regard! Le faire naître dans la nuit, l'éclairer par des torches, l'entourer d'armes et d'incendies, c'est le lier à des puissances néfastes, c'est lui donner charge de destin. Lors même que la scène ne se déroule pas dans la nuit, l'acte de voir possède toujours une violence sacrée ou sacrilège. Il adore ou il enfreint. Au milieu du carnage d'une ville conquise, ce sont les regards d'un vainqueur sur une prisonnière (Andromaque), ou d'une prisonnière (Eriphile) sur un vainqueur sanglant: regards qu'il n'eût pas fallu échanger entre ennemis, naissance d'un amour où la patrie sera oubliée et trahie. A chaque fois, il eût mieux valu ne pas avoir vu, c'était un regard *interdit*. Selon la loi du sérail, Roxane n'aurait jamais dû voir Bajazet; pour l'avoir seulement regardé, elle mérite la mort. Tout le malheur de Phèdre date du jour où elle a vu Hippolyte: ce premier regard, d'emblée, violait l'interdit de l'inceste et de l'adultère:

> Athènes me montra mon superbe ennemi:
> Je le vis, rougis, je pâlis à sa vue;
> Un trouble s'éleva dans mon âme éperdue . . .
>
> (*I, 3, 272–274*)

Le regard de Phèdre s'obscurcit, la nuit se fait en elle:

> Mes yeux ne voyaient plus, je ne pouvais parler . . .
>
> (*I, 3, 275*)

Ainsi l'acte de voir, par sa violence même, produit la nuit. La scène ici n'a plus besoin de se dérouler dans un décor nocturne: la nuit naît à l'intérieur du personnage tragique. Et cette image de flambeaux dans la nuit, que nous avions trouvée dans *Andromaque*, *Britannicus* et

Bérénice, nous la retrouvons maintenant intériorisée et inversée. Sur le fond du jour solaire, la passion de Phèdre brûle comme une flamme noire:

> Je voulais en mourant prendre soin de ma gloire,
> Et dérober au jour une flamme si noire.
>
> (*I, 3, 309-310*)

Ce flamboiement obscur, cette chose sombre à la face du jour,[2] c'est Phèdre elle-même — qui pourtant appartient à la race du Soleil, et dont le nom grec est: la Brillante. La nuit habite le regard de Phèdre comme elle habite la vision d'Athalie — pour être affrontée au jour meurtrier et purificateur.

Le regard racinien est une avidité malheureuse. La satisfaction lui est toujours refusée; il reste inassouvi. Ce n'est pas sans raison que Racine a repris aux anciens cette métaphore «digestive»: «se rassasier d'une si chère vue». Mais la satiété est impossible. Les yeux cherchent les yeux, et même lorsqu'ils obtiennent la réponse attendue, quelque chose manque. Il faut regarder encore, retourner à cette trompeuse pâture, poursuivre un bonheur qui n'achève jamais d'être conquis. Il faut que les amants se voient et se revoient sans cesse. Les voici liés à la servitude de la *répétition*: recommencement infini, réassurance fragile. Leur bonheur a quelque chose d'une interminable agonie. Ils obéissent à la passion avec une lassitude accablée, et cette lourde fatigue du regard désirant devient une nouvelle arme de l'amour.

Nous disions, tout à l'heure, que l'acte de voir, chez Racine, visait une essence unique et profonde. Mais il faut ajouter que cette essence, toujours entrevue, visée, désirée, n'est cependant jamais atteinte et jamais possédée. Ce que le désir voulait si passionnément rejoindre — la profondeur du regard des autres — se dérobe à toute prise: la désir se rue vers sa proie, n'y trouve que la douleur — sa propre douleur — qu'il aggrave à mesure qu'il s'obstine; il devient rage destructrice. Ce qu'il découvre alors, c'est bien davantage sa propre profondeur fuyante, l'absence de tout appui intérieur, l'égarement. De même que le héros

---

[2] Albert Béguin, dans une étude intitulée «Phèdre nocturne» *Labyrinthe*, n° 7, 15 avril 1945, a remarquablement analysé ce conflit de l'ombre et de la lumière.

voit les autres sans les atteindre, il se voit lui-même sans s'atteindre. Il se sait troublé, mais ne découvre plus rien au delà. Renvoyé à lui-même, le regard devient stupeur: «Que vois-je?» Question évidemment destinée à rester sans réponse. C'est le moment où le héros est affronté à l'épreuve la plus violente et fait face à quelque chose de monstrueux. Mais le monstrueux n'est pas dans le spectacle qui s'offre au regard, il n'est pas *en face*, il est dans le regard même, dans sa stupeur, dans cette interrogation vaine où les yeux ne sont ouverts que pour s'emplir d'un effroi né d'eux-mêmes (comme les yeux de Phèdre s'emplissent de nuit). Effroi sans image, mais qui parfois devient hallucination. Dans son délire, Oreste revoit Hermione et s'épouvante de ses «affreux regards»: la vision finale est vision de regards et achève une histoire tragique qui avait commencé par la rencontre des mêmes regards.

Mais avant d'être cette question retournée contre soi-même, le regard racinien est une question inquiète plongée dans l'âme des autres. Le caractère commun de l'amour et de la haine, chez Racine, c'est que tous deux s'expriment par la tournure interrogative. Il suffit, pour s'en convaincre, de relire quelques-unes des grandes scènes de ce théâtre. Les personnages s'y affrontent en s'interrogeant sans relâche: telle est leur façon de se chercher et de se blesser (de se chercher pour se blesser). Souvent les questions se croisent: la riposte d'une nouvelle question tient lieu de réponse. Provocation sur provocation. La fameuse cruauté racinienne trouve dans l'interrogation son arme favorite. Les personnages se mettent littéralement à la question. (Supplice non sans attrait aux yeux du Dandin des *Plaideurs*: «N'avez-vous jamais vu donner la question?» A quoi Isabelle répond: «Hé! Monsieur, peut-on voir souffrir les malheureux?» Et Dandin: «Bon! Cela fait toujours passer une heure ou deux.» (III, 4, 848, 851–852)).[3]

Le regard-question est animé d'une double intention: il veut saisir la vérité, et il veut en même temps posséder amoureusement. Cette double intention se transforme en un seul acte: faire mal. Faire naître les larmes dans les yeux de l'être convoité, c'est à la fois une prise de connaissance et une prise de possession. Ce qui s'était dérobé

---

[3] Isabelle's immediate reply to Dandin's question is «Non; et ne le verrai, que je crois, de ma vie» (v. 849) — to which Dandin replies «Venez, je vous en veux faire passer l'envie» (v. 850). Starobinski's omission of these lines does not affect his point here. (RJN)

obstinément semble être devenu saisissable. Les larmes sont le clair aveu de la douleur: si la victime ne se livre pas dans l'amour, elle se livre du moins dans la souffrance. Et, devenant bourreau, l'amant prend plaisir à agir sur ce regard qui ne lui échappera plus, et par lequel il ne sera plus ignoré. Les larmes qu'il fait couler lui seront une preuve qu'il existe enfin aux yeux de celle qu'il aime. Il tient alors une certitude qui lui manquait: mais c'est aussi la certitude d'être plus que jamais refusé. Car tel est, chez Racine, le destin du regard-question: il cherche à s'emparer des êtres, pénètre jusqu'à la source des larmes; mais plus il resserre sa prise sur le regard convoité, plus il s'en exclut. Il accède à la connaissance qu'il cherchait; mais c'est une connaissance intolérable, où se précise la douleur d'être séparé, d'être rejeté au dehors, et renvoyé à une solitude amère. La douleur la plus vive est alors pour le bourreau. Quand Junie lève «au ciel ses yeux mouillés de larmes», Néron ne souffre pas moins que sa victime. Il a fait couler ces larmes, mais le regard de Junie s'est détourné vers le ciel. Le persécuteur connaît sa force et la sait inutile; ces yeux en larmes sont plus blessants que blessés, et c'est sur Néron que la question se retourne. Accusé par ce regard chargé de reproche, Néron ne trouve d'autre réponse que d'aggraver sa cruauté jusqu'à la rendre meurtrière, en s'abandonnant toujours davantage au mal. Le monstre naît et grandit en cet homme à mesure que l'amour s'exaspère, comme par une fatalité infligée du dehors. Car il y a dans le regard de la victime une provocation à la méchanceté, il y a un défi délibéré à la cruauté, qui est lui-même une surenchère de cruauté. L'on y devine une secrète joie de rendre le persécuteur toujours plus coupable, d'irriter sa souffrance et de la pousser à bout. Il faudra donc que Néron en vienne à de pires violences, qui lui déroberont toujours davantage la réponse qu'il convoite. Hanté jusque dans ses insomnies par l'image de Junie en larmes, il poursuivra la mort de ce regard et s'efforcera d'avoir raison de cet éclat qu'il ne peut posséder. C'est le sens de la scène fameuse où Néron se cache pour observer l'entrevue de Junie et de Britannicus:

> Madame, en le voyant, songez que je vous vois.
>
> (*II, 4, 690*)

Nulle part n'apparaît mieux le sadisme qui chez Racine appartient toujours à la situation du regard surplombant. Observés secrètement par Néron, les yeux de Junie ne pourront plus rien dire à Britannicus.

Au moyen du seul regard, Néron met à mort l'échange de regards dont vivait l'amour de Junie et de Britannicus. Il jouit de cette étrange dioptrique de la souffrance, dont les rayons convergent vers le lieu où il s'est caché. Le voyeur dissimulé tient à sa discrétion le bonheur de ceux dont il est jaloux et transforme ce bonheur en désespoir. Mais le désespoir lui est renvoyé et l'atteint à son tour. Plus visible est le malheur qu'il provoque, plus grande sera pour Néron la certitude de n'être pas aimé. Au point où se rassemblent les rayons de cette dioptrique, après passage à travers le regard anéanti des victimes, la douleur est à son comble et vient détruire la jouissance du voyeur.

Le regard en surplomb a beau être cruellement efficace, sa cruauté est l'indice de son échec. Il n'aura pas accès à cette intériorité essentielle qu'il convoitait. L'éclat des larmes qu'il fait couler lui renvoie sa cruauté amplifiée. Désormais, plus qu'il ne connaît cet autre regard qu'il voulait posséder, il connaît sa propre limite, le point que le destin lui interdit de dépasser, et qu'il ne pourra même pas forcer en mourant ou en faisant mourir.

Nous pouvons, dès lors, mieux préciser la signification de ces deux situations fondamentales de l'être racinien: regarder et être regardé. L'acte de voir comporte un échec fondamental; l'être s'y heurte à un obscur refus, il y découvre son impuissance. Non que le regard manque de clarté, mais cette clarté, au rebours de ce qui se passe chez Corneille, ne peut jamais être transformée en volonté ferme ou en action efficace. Le regard racinien n'est pas aveuglé au point de ne pouvoir découvrir la vérité. Mais, c'est pour lui une pire condition de n'être pas aveuglé: toutes les vérités que le regard découvre sont néfastes, tous les aveux qu'il provoque — et combien difficilement obtenus — auront des conséquences mortelles. Les personnages de Racine sont assez lucides pour reconnaître, dans leur violence même, une faiblesse sans recours. Ils se savent entraînés malgré eux et ne peuvent rien faire pour éviter leur perte. Connaissance inutilement claire, puisqu'elle ouvre sur un trouble insurmontable. Vision pénétrante qui ne met pas fin à l'égarement, mais au contraire l'accroît. La vérité découverte n'est salvatrice en aucun cas: «J'ai des yeux», proclame Eriphile [*Iphigénie*. II, 8, 761]; mais, lorsqu'elle connaîtra sa propre identité, elle saura qu'elle est condamnée à mourir et se donnera la mort dans un accès de fureur. Nul meilleur exemple pour confirmer cette donnée qui se répète sans cesse dans les tragédies de Racine: si l'illusion, si l'aveuglement peuvent être surmontés, c'est pour que s'impose une vérité mortelle. Ainsi, la progression du trouble tragique coïncide avec le progrès de la connaissance.

L'acte de *voir*, dans toute sa violence possessive, est habité par cette faiblesse et par la conscience de cette faiblesse. En revanche, *être vu*, ce sera, presque au même instant, se découvrir coupable dans les yeux des autres. Ce qu'attendait le personnage racinien, c'était le regard caressant, la douce prise amoureuse: ce qu'il découvre en réalité, c'est sa propre culpabilité. Au lieu du bonheur d'être regardé, le malheur d'être vu dans la faute. Non pas seulement parce que, comme Néron ou Pyrrhus, il s'est transformé en bourreau pour saisir l'insaisissable, mais parce que, dans tout regard désirant, il y a d'avance une transgression, le viol d'un interdit, le commencement d'un crime. Il le sait à l'instant même où il recontre l'autre regard, et dès lors il ne peut plus échapper à cette faute; il est littéralement *fixé* dans sa culpabilité.

Comme pour accentuer encore cette culpabilité, Racine fait intervenir, au-dessus du débat tragique où sont engagés les personnages, un autre regard surplombant — une instance ultime — qui les atteint de plus haut ou de plus loin. Il suffit de quelques allusions espacées à l'intérieur du poème: la Grèce entière a les yeux tournés vers son ambassadeur Oreste et vers le roi Pyrrhus (*Andromaque*); Rome observe les amours de Titus (*Bérénice*); Phèdre sait qu'elle est vue par le Soleil; et les pièces religieuses se déroulent sous l'œil de Dieu. A chaque fois la culpabilité des personnages se constitue sous le regard suprême de ce témoin, ou mieux: de ce Juge transcendant. Tous les regards échangés par les héros humains sont épiés par cet œil inexorable, qui réprouve et condamne. Occupés à satisfaire leurs passions, tous avaient cru pouvoir se soustraire à la collectivité, au Soleil, à Dieu, tous avaient tenté de fuir ce regard accusateur. Mais tous, à plus ou moins brève échéance, sont repris par lui. Pour qui entreprend d'analyser l'évolution du théâtre de Racine, il vaudrait la peine de se demander comment, après avoir été une personne collective (le peuple, la nation), ce regard surplombant accusateur a pris, dans les pièces plus tardives, une valeur religieuse: Dieu, le Soleil, puissances absolues et supra-tragiques, qui dominent et dirigent d'en haut l'action tragique. Toujours est-il que, lorsqu'il n'est pas élu pour être l'interprète du Regard divin (Calchas, Joad), l'homme racinien est exposé sans merci à la colère de ce Juge. Cette colère entraîne parfois une sentence de mort, mais, le plus souvent, elle ne fait qu'établir la Faute, et laisse l'homme aux prises avec elle.

Faiblesse et faute: telles sont, constamment présentes et presque confondues, les significations que Racine attache à l'acte de celui qui regarde et à la situation de celui qui est regardé. Le seul regard sans faiblesse — celui du Juge transcendant — a sa source en deçà ou au delà de l'univers tragique. L'homme, lui, ne sort jamais de l'univers tragique, c'est-à-dire de la faiblesse et de la faute. Il ne reçoit aucun secours venu d'ailleurs. S'il sent tomber sur lui le regard surplombant du Juge, ce sera pour que s'accroisse le déchirement, et non pour qu'il guérisse. Il n'y a point de paix pour qui a les yeux ouverts, ni pour celui qui se sait vu.

Cette poétique du regard — de la faiblesse et de la faute du regard — a sans doute pris naissance dans la recontre de la tragédie grecque et de la pensée janséniste. A tout le moins, née de l'imagination de Racine, cette poétique du regard trouve à Port-Royal et chez Euripide une idéologie qui lui correspond. Le tragique chrétien de la Faute y rejoint le tragique antique de l'Erreur; et le dieu persécuteur du théâtre d'Euripide s'y confond avec le Dieu dont l'homme ne peut rencontrer le regard sans se sentir pécheur.

Mais nous sommes au théâtre, et non pas au tribunal de Dieu. Le théâtre, dont l'existence est un scandale, puisque le poète et les spectateurs usurpent le regard surplombant du Juge et prétendent à leur tour dominer et juger. Dans cette étrange construction visuelle où s'échafaudent regards sur regards, le poète établit un regard ultime: regard raisonnable sur la passion déraisonnable, regard chargé de pitié sur le destin impitoyable. La vision culminante est poésie. C'est d'elle que tout procède, et c'est à elle que tout revient. Mais il y persiste un trouble et une angoisse ineffaçables. Pour le spectateur, la connaissance tragique est cet étrange plaisir de savoir que l'homme est faible et coupable. Preuve dernière de la blessure du Regard: ce plaisir fait couler des larmes — que personne maintenant ne peut voir.